CONVECTION OVEN COOKBOOK

Données de catalogage avant publication (Canada)

Marchand, Marie-Paul

    Convection oven cookbook

    Text in English and French.
    Title on added t. p., inverted: Recettes pour le four à convection.
    Includes index.

    ISBN 2-7619-0770-1

    1. Convection oven cookery. I. Title. II. Title: Recettes pour le four à convection.

TX840.C65M37   1988   641.5'8   C93-096332-8F

Cover design: Katherine Sapon
Photography: Bernard Petit

Our special thanks to:
Mrs. Denise Moisan Dorion and her team at A.B.C. du micro-ondes of Québec
Mrs. Aline Vaillancourt of Warwick
the Division des services aux entreprises du Service de la recherche technologique de
l'Institut de Tourisme et d'Hôtellerie du Québec for their valuable collaboration.

MARIE-PAUL MARCHAND is a renowned specialist of micro-wave and convection
cooking. She is co-author of *La Nouvelle Cuisine micro-ondes I* and *II* and she shares
now with us her latest findings in the domain of convection cooking.

© 1988, 1993, Les Éditions de l'Homme,
Division de Sogides Ltée

Bibliothèque nationale du Québec
Dépôt légal: 2nd trimester 1993

ISBN 2-7619-0770-1

CONVECTION OVEN COOKBOOK

MARIE-PAUL MARCHAND

LES ÉDITIONS DE L'HOMME *

CANADA: 955, rue Amherst, Montréal H2L 3K4

*Division de Sogides Ltée

Foreword

I decided to write this book so that the greatest possible number of people could learn how to make much more efficient and productive use of their convection range. Convection cooking is a simple and practical way to make intelligent use in everyday life of our evolving modern technology. You will find that when you know how to use your oven properly, there is nothing easier than preparing a roast of turkey, fish, pork chops, vegetables au gratin and even mouth-watering desserts!

There are countless advantages to having a convection range. Among others, it means substantial savings when you are roasting foods. This is because of the fan that circulates the air, thus ensuring an even distribution of heat throughout the oven. This system enables you to obtain the best culinary results when cooking, thawing, **dehydrating** and roasting foods.

The convection range is equipped with a selector button for choosing the various methods of cooking and a control button for the temperature. Each recipe in this book includes one of the two following symbols which indicate where to place the selector button.

[✗] : The fan circulates heat produced by the element on the back wall of the oven.

[ʈʈʈ] : Only the upper element is on for broiling foods.

Unless otherwise indicated, it is not necessary to preheat the oven before using it. Don't forget to always return the control buttons to the OFF• position once cooking is completed.

In this book you will find a cooking chart at the beginning of each chapter on meat and desserts. These charts will give you the best cooking time for the kind of dish you are preparing. I

5

sincerely believe that a convection range is an indispensable appliance because it enables us to save both time and energy while giving us a great deal of satisfaction when we are cooking. No matter what dish you are preparing, you can rest assured that it will be cooked to perfection, the best flavours in your ingredients will be enhanced and meat will always be uniformly browned.

I hope this book will be a useful reference for you and that it will convince you of how easy it is to succeed with any recipe when you use a convection range — indeed, to embark on exciting culinary and gastronomic adventures.

Bon appétit!

Marie-Paul MARCHAND

How Frigidaire breaks the thermal barrier:

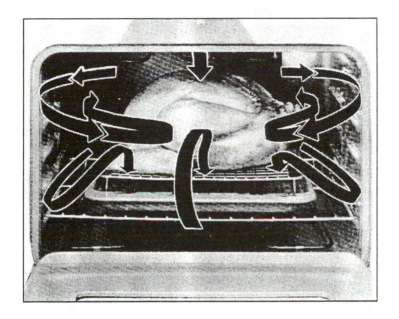

1. The air inside the oven is forced over a specially designed element and evenly directed back through a baffle to all parts of the oven.

2. The broil pans are equipped with a unique cooking grid with raised sides. This allows the convection fan to circulate the heated air completely around the cooking food, breaking the thermal barrier.

3. Once the thermal barrier is blown away, the heated air is in direct contact with the food to be cooked. Roasts are quickly sealed to retain moisture and flavour.

Exceptional results every time

Convection cooking circulates heated air, producing evenly cooked food for picture-perfect results. The forced air process seals in more natural moisture and flavours for better taste. Meats are juicier, poultry is crisp on the outside, tender and moist inside, and breads are evenly textured.

Total flexibility

The Convection option is an additional feature to the regular oven-cooking methods of baking, broiling, and roasting.

Practical

Preheating is unnecessary, multilevel baking is possible, and quicker defrosting will save time. Convection oven cooking can reduce the cooking time up to 30 %.

More control

Heated air penetrates food from every angle, sealing and cooking evenly. Lower cooking temperatures mean a considerable reduction in food shrinkage, without additional cooking time.

How to use this cook book

- The cooking charts have been prepared in accordance with the recipes in this book.
- When you are using your oven for the first time, it is best to follow the suggested cooking times and use the suggested baking dishes given in the recipes.
- The selector and rack position are indicated for each recipe.
- Have the racks in place before turning on the oven.
- There should always be a 1 to $1^1/_2$ inch (2.5 to 3.7 cm) space between the side walls of the oven and the dishes being used.
- *Preheating is not necessary* for most dishes. Preheat the oven only for recipes calling for yeast and/or increased browning.
- Pyrex dishes allow for richer and crustier browning.
- When you are using several baking dishes at a time, place them on opposite corners of the rack.
- If you are using two racks, be careful not to hide one dish with the other.
- When using rectangular or bread pans, we recommend placing them lengthwise facing you.
- Cuts of meat should also be placed so that they don't obstruct the fan too much. Therefore, have the smallest part facing you.
- Avoid opening the door too often during cooking so as not to lose heat.
- We have suggested the cooking method that has given us good results, taking into consideration both cooking time and the final result.
- In several cases depending on the texture and consistency of the food, the temperature normally used in conventional cooking will be reduced by 25°F.

9

Rack positions

Position 1: Roasts, fowl.

Position 2: Cakes, pies, fish, some meat dishes.

Position 3: Most dishes baked on cookie sheets. Ready to bake frozen dishes.

Position 4: Most dishes to be broiled.

N.B.: Position 1 is the lowest rack position in the oven.

Dehydration

- When dehydrating foods, have the selector position at ⊠ and the temperature at 150°F (65°C).
- Here are some important points to take into consideration when dehydrating foods, because they have a direct effect on the time required for dehydration:
  1. the degree of humidity in the air.
  2. the moisture content of the food.
  3. the thickness of the slices ($^1/_8$ to $^1/_4$ inch/0.3 to 0.6 cm).

Procedure:

- Fruit should be soaked in a solution of pineapple juice (and liquid honey if desired).
- Place fruit pieces on paper towels to absorb any excess moisture.
- Like fruits, vegetables should be sliced in rounds.
- Place fruits or vegetables on oven rack or racks. (For small slices, use grid rack.)
- Place slices on the rack or racks so that they are not touching each other.
- Leave the oven door open at the stopping point.
- After the minimum dehydration time, test with your fingers to see if the slices are completely free of moisture.
- At the end of dehydration, the slices should be firm and dry.

Dehydration

SELECTOR POSITION: ⊠

RACK POSITIONS: 2 and/or 3

OVEN TEMPERATURE: 150°F (65°C)

Type of Food	Dehydration
Apples	5 to 7 hours
Bananas	5 to 7 hours
Kiwis	5 to 7 hours
Green or red peppers	3 to 5 hours
Onions	3 to 5 hours
Mushrooms	3 to 5 hours
Carrots	4 to 6 hours

Of course, there are many other fruits and vegetables that can be dehydrated to your taste and satisfaction. This chart is only meant as a reference and guide to help you find dehydration times based on the consistency of various fruits and vegetables.

Cooking red meats and fowl

- Cooking times have been given for meat that is completely thawed.
- Preheating the oven is not necessary.
- When roasting meat uncovered, place meat or chicken on the rack of the roasting pan that comes with the oven.
- The most tender cuts may be cooked uncovered, but keep an eye on them to be sure they don't dry out on the surface. If they show signs of drying out, cover them with aluminum foil.
- For best results, use a meat thermometer. The tip of the thermometer should be inserted into the deepest part of the meat. Be sure that it doesn't rest against bone or fat. To be sure the temperature is accurate, insert the thermometer into another part of the meat and compare.

11

Using the broiler

- Place the rack at the position suggested in the recipe.
- Turn the selector to broil and the temperature to 550°F (288°C).
- Food is usually placed either on the rack of the roasting pan that comes with the oven on rack position 3 or on the oven rack itself on position 4 (follow recipe instructions).
- When using the broiler, leave the oven door open at the stop position.
- Before using the broiler, remove excess fat from meat. Slash the meat slightly so it doesn't curl.
- Apply melted butter to the surface of fish and lean meat to prevent drying.
- Only turn food once.

Chapter one

Appetizers and Hors-d'oeuvres

- *Crab Tarts*
- *Shrimp Bouchées*
- *Olive Bouchées*
- *Stuffed Mushroom Caps*
- *Fondue Parmesan*
- *Sausage Rolls*
- *Sausage Rolls with Sauce*

Crab Tarts

1 - 6 oz (170 g) can crab meat*, drained
$1/3$ cup (80 mL) celery, finely chopped
1 soft boiled egg, peeled
2 green onions, finely chopped
$1/3$ cup (80 mL) mayonnaise
1 cup (250 mL) grated Mozzarella cheese
1 roll croissant pastry (makes 8 croissants)

Selector position:
Rack position: 2

Preheat oven to 350°F (180°C).
Combine crab meat, celery, soft boiled egg, green onions, mayonnaise and Mozzarella cheese.
Grease muffin tins. Press croissant pastry into tins. Divide crab mixture evenly among the tins. Turn pointed corners of pastry inward so that they cover crab filling.
Bake at 350°F (180°C) for 10 to 12 minutes.
Serve with a white sauce, if desired.

---

* 1 can of small shrimps, drained, may be used in place of crab meat.

14

Shrimp Bouchées

$^1/_2$ cup (125 mL) soft butter
1 cup (250 mL) flour
$^1/_2$ tsp. (2 mL) salt
1 tsp. (5 mL) paprika
$^1/_2$ lb (250 g) Cheddar cheese, finely grated
3 to 4 drops Tabasco sauce
$^3/_4$ to 1 cup (175 to 250 mL) canned shrimps, drained

Selector position: ☒
Rack position: 3

Cream butter. Mix together flour, salt and paprika. Grate Cheddar cheese very fine and add to first mixture. Add Tabasco sauce. Mix well to form a smooth dough. Place a small ball of dough in the palm of your hand and flatten. Wrap one or more shrimp (depending on size) in dough, taking care to conceal them well.

Bake at 450°F (230°C) on an ungreased cookie sheet for 12 to 16 minutes.

Serve hot.

Makes 35 bouchées.

Olive Bouchées

Use drained, stuffed olives in place of shrimps.

Stuffed Mushroom Caps

24 large, fresh mushrooms
24 canned snails, drained
Garlic butter, as needed
Cheddar or Mozzarella cheese, finely grated, as needed

Selector position:
Rack position: 3

Remove mushroom stalks. Place one snail in each mushroom cap, with garlic butter and grated cheese.
Arrange mushroom caps on a lightly greased cookie sheet.
Bake at 375° F (190° C) for 12 to 16 minutes.
Serve hot.

Fondue Parmesan

4 Tbs. (60 mL) butter
6 Tbs. (90 mL) flour
2 $^1/_2$ cups (625 mL) milk
2 egg yolks, beaten
$^1/_2$ tsp. (2 mL) salt
2 cups (500 mL) Parmesan cheese, finely grated
Flour, as needed
2 egg whites
Bread crumbs, as needed

Selector position: ☒
Rack position: 3

Melt butter on a low heat. Remove from heat and gradually stir in flour. Return to a light heat and gradually stir in milk. Continue to stir until thick (this sauce will be very thick). Remove from heat and add beaten egg yolks, salt and finely grated Parmesan cheese. Mix well to melt cheese. Pour into a lightly buttered 10" x 6" (25 cm x 15 cm) dish. Leave to cool and refrigerate for at least 8 hours. Cut into 2 inch (5 cm) square pieces. Dredge with flour, dip in lightly beaten egg whites and cover with bread crumbs.

Arrange on an ungreased sheet. Bake at 425°F (220°C) for 12 to 15 minutes or until golden.

Sausage Rolls

Smoked sausages, as needed
Cheddar cheese, as needed
B.B.Q. sauce, to taste
1 slice bacon per sausage

Selector position: ☒
Rack position: 2

Partially slice smoked sausage in two, lengthwise.
Cut cheese into strips and insert in sausages. Pour about 1 tsp. (5 mL) B.B.Q. sauce into sausages. Wrap with bacon and hold in place with a toothpick. Arrange on a cookie sheet. Bake at 400°F (200°C) for 15 to 20 minutes or until the bacon is cooked. Cut into pieces and serve hot.

Sausages can also be placed directly on the grill, but be sure to put a cookie sheet on grill position 1 with a little water in it to prevent smoking.

---

* Be sure to cover sausage ends well with bacon to prevent overcooking.

Sausage Rolls with Sauce

Spaghetti or lasagne sauce may be used in place of B.B.Q. sauce.

Chapter two

Eggs

- *Egg Flan*
- *Egg Pizza Surprise*
- *Ham Quiche*
- *Mushrooms Quiche*
- *Leek and Onion Quiche*

Egg Flan

4 eggs
$1/2$ cup (125 mL) sugar
$1/4$ tsp. (1 mL) salt
$1/2$ tsp. (2mL) vanilla
2 cups (500 mL) milk, warmed
$1/2$ tsp. (2mL) nutmeg

Selector position:
Rack position: 1

Preheat oven to 350°F (180°C).

Beat eggs lightly, add sugar, salt, nutmeg and vanilla.

Add a little warm milk. Mix, and add remaining milk. Pour mixture into a 2 quart (2 litre) oven dish or 8 small ramekins (individual baking dishes). Place dish or ramekins in a tray filled with 1 cup (250 mL) water. Bake at 350°F (180°C) or 50 to 60 minutes.

N.B.: The flan is cooked when a knife, inserted in the middle, comes out clean.

Egg Pizza Surprise

Makes 2 - 12 inch (30 cm) pizzas

Prepared bread or pizza dough as needed
1 onion, sliced
1 cup (250 mL) mushrooms, chopped
2 Tbs. (30 mL) tomato paste
2 large, ripe tomatoes
2 eggs, hard-boiled
2 Tbs. (30 mL) vegetable oil
1 tsp. (5mL) salt
$^{1}/_{2}$ tsp. (2mL) pepper
Grated Mozzarella cheese as needed
$^{1}/_{2}$ tsp. (2mL) oregano

Selector position: ☒
Rack position: 3

Preheat oven to 400°F (200°C). Roll out dough and place it on pizza pans. Cover pastry with tomato paste, onions and mushrooms. Then layer with slices of fresh tomato and sliced hard-boiled eggs. Sprinkle with oil, add salt and pepper. Garnish with grated Mozzarella cheese and oregano. Bake at 400°F (200°C) for 15 to 18 minutes.

Ham Quiche

Pie shell (9"/23 cm), uncooked
1 cup (250 mL) milk
8 oz (250 g) cream cheese
$^1/_2$ cup (125 mL) green onion, chopped
$^1/_2$ a red pepper, chopped
1 Tbs. (15 mL) butter
4 eggs
Salt and pepper to taste
1 cup (250 mL) cooked ham, diced
Parsley to taste, chopped

Selector position:
Rack position: 2

Preheat oven to 400°F (200°C).

Heat milk and add cheese. Melt butter, add chopped green onion and red pepper and cook until tender. Beat eggs and add to milk and cheese mixture along with salt and pepper. Place vegetables and ham in pie shell, cover with the egg mixture and garnish with chopped parsley. Bake at 400°F (200°C) for 30 to 35 minutes.

Mushrooms Quiche

1 pie shell (9"/23 cm), uncooked
1 Tbs. (15 mL) butter
1 cup (250 mL) sliced mushrooms
$^1/_4$ cup (60 mL) green onions, chopped
4 eggs
1 cup (250 mL) light cream (15 %)
1 cup (250 mL) grated cheese (to taste)
Salt and pepper to taste
$^1/_2$ tsp. (2 mL) basil, chopped

Selector position:
Rack position: 2

Preheat oven to 400°F (200°C).

Melt butter. Then add mushrooms and chopped green onions. Cook until tender. Beat eggs and add cheese, cream, salt, pepper and basil. Place the mushroom mixture in pie shell. Cover with the egg mixture. Bake at 400°F (200°C) for approximately 30 to 35 minutes.

Leek and Onion Quiche

Pie shell (9"/23 cm), uncooked
4 to 6 slices of bacon
1 leek, chooped
1 onion, chopped
1 clove garlic, minced
4 eggs
1 $^1/_2$ cups (375 mL) milk
$^1/_2$ cup (125mL) grated cheese
Salt and pepper to taste
Fresh parsley to taste, chopped

Selector position: ☒
Rack position: 2

Preheat oven to 400°F (200°C).

Cook bacon until crisp, drain and crumble. Sauté leek, onion and garlic in bacon fat. Cook a few minutes until tender. Beat eggs. Add milk and grated cheese. Place vegetables and bacon in pastry shell. Pour egg mixture over them and season. Bake at 400° F (200°C) for 30 to 35 minutes.

Chapter three

Bread and Pasta

- *Sunday Brioches*
- *Raisin Ring*
- *Bread*
- *Whole Wheat Bread*
- *French-Style Bread*

- *Lasagne*
- *Macaroni and Beef Pie*
- *Pizza*
- *Special Oven-Baked Rigatoni*
- *Spaghetti with Beef and Tomatoes*

Bread

Sunday Brioches

Basic recipe for sweet bread.

1 cup (250 mL) milk
$^1/_3$ cup (80 mL) sugar
2 tsp. (10 mL) salt
$^1/_2$ cup (125 mL) shortening
1-$^1/_4$ oz (8 g) package yeast
$^1/_2$ cup (125 mL) warm water
1 tsp. (5 mL) sugar
1 egg, beaten
2 cups (500 mL) flour
2 to 2 $^1/_2$ cups (500 to 625 mL) flour

Selector position: ☒
Rack position: 2

Scald milk. Pour into a large bowl and add sugar, salt and shortening. Stir until fat has melted and set aside to cool. Meanwhile, combine water and teaspoon of sugar, then sprinkle in yeast. Leave to rise for about 10 minutes. Mix with a fork and add to milk mixture. Add egg, then beat in the first part of the flour with a circular motion. Turn dough out onto a floured board and knead in remaining flour. Knead for about 5 minutes or until dough forms a smooth ball. Place in a greased bowl and brush surface of dough with fat. Cover with a damp cloth and leave to double in size. Punch down dough, cut into two pieces and prepare brioches with half the dough. Keep the other half for the Raisin Ring (page 28) or freeze it.

Step One

Roll dough into a 9" x 12" (23 cm x 30 cm) rectangle. Brush with melted butter and sprinkle with the following mixture:

$^1/_3$ **cup (80 mL) sugar**
2 tsp. (10 mL) cinnamon
$^1/_2$ **cup (125 mL) pecans, chopped**

Roll up lengthwise into an oblong and cut into twelve 1-inch (2.5 cm) slices.

Step Two

Combine:

$^1/_4$ **cup (60 mL) melted butter**
$^1/_2$ **cup (125 mL) brown sugar, very lightly packed**

Pour into an 8 or 9 inch (20 or 23 cm) square baking dish. Decorate with pecans and place the slices of rolled dough flat on mixture.

Step Three

Cover and leave to double in size (about an hour). Bake in a preheated oven at 375°F (190°C), for 16 to 20 minutes. Turn out immediately onto a plate.

Raisin Ring

Use half the sweet bread recipe.

1 Tbs. (15 mL) melted butter
$^1/_4$ cup (60 mL) brown sugar, lightly packed
$^1/_3$ cup (80 mL) chopped nuts
$^1/_3$ cup (80 mL) raisins
$^1/_2$ tsp. (2 mL) cinnamon
$^1/_4$ tsp. (1 mL) nutmeg

Icing:
$^3/_4$ cup (180 mL) sifted icing sugar
1 Tbs. (15 mL) milk
$^1/_4$ tsp. (1 mL) almond extract

Selector position: ☒
Rack position: 2

See Sunday Brioches (page 26) for sweet dough recipe.

Step One
Roll out dough into a 9" x16" (23 cm x 40 cm) rectangle. Brush with 1 Tbs. (15 mL) melted butter. Sprinkle with mixture of brown sugar, nuts, raisins, cinnamon and nutmeg. Roll lengthwise to form an oblong.

Step Two
Shape into a ring and place on a greased cookie sheet. Press ends together so they stick. Then using scissors, make cuts $^3/_4$ of the way into the width of the ring at 1-inch (2.5 cm) intervals, delicately laying each slice down on its side.

Step Three
Cover and leave to double in size. Bake in preheated oven at 375°F (190°C), for 25 minutes. Allow to cool slightly, then ice with the mixture of icing sugar, milk and almond extract.

Bread

2 cups (500 mL) milk
$^1/_4$ cup (60 mL) sugar
4 tsp. (20 mL) salt
4 Tbs. (60 mL) shortening
1 cup (250 mL) water
2 tsp. (10 mL) sugar
1 cup (250 mL) warm water (100°F/38°C)
2-$^1/_4$ oz (8 g) packages dry active yeast
5 cups (1.25 L) flour
4$^1/_2$ to 5 cups (1.12 to 1.25 L) flour

Selector position: ☒
Rack position: 2

Warm milk. Pour into a large bowl and add sugar, salt, shortening and water. Stir until shortening has melted. Allow to cool slightly. Dissolve sugar in warm water and sprinkle in yeast. Set aside for 10 minutes. Stir thoroughly with a fork and mix into first mixture. Stir in 5 cups (1.25 L) flour and beat vigorously by hand. Gradually add in 4$^1/_2$ to 5 cups (1.12 to 1.25 L) flour by spoonful. Mix in the last part of flour by hand using a circular motion. Place on a floured surface and knead for 8 to 10 minutes. Form into a smooth ball and put in a greased bowl: roll ball around in bowl so the surface of the dough will be greased. Cover with a damp cloth and leave to double in size (about 1$^1/_2$ hours) in a warm place. Punch down, and form into 4 loaves. Place in 8$^1/_2$" x 4$^1/_2$" (21.5 x 11.5 cm) greased loaf pans. Grease the surface of the loaves, cover and leave to double in size (1 hour approximately).

Preheat oven to 375°F (190°C) and bake at 375°F (190°C) for approximately 30 to 35 minutes.

If you want a slightly less crusty bread, brush the top with soft butter before the bread cools.

N.B.: For dinner rolls, bake about 20 minutes.

29

Whole Wheat Bread

1^1/$_2$ cups (375 mL) milk
^{1}/$_2$ cup (125 mL) molasses
2 Tbs. (30 mL) salt
^{1}/$_2$ cup (125 mL) shortening
2 cups (500 mL) warm water (100°C/38°C)
2-^{1}/$_4$ oz (8 g) packages dry active yeast
2 tsp. (10 mL) sugar
8 to 9 cups (2 to 2.25 L) whole wheat flour

Selector position:
Rack position: 2

Warm milk. Pour into a large bowl and add molasses, salt, shortening and warm water. Stir until shortening has melted. Meanwhile, sprinkle yeast into 1 cup (250 mL) warm water (100°F/38° C) with sugar. Leave to rise for 10 minutes, then add to milk mixture. Stir and add 4 to 5 cups (1 to 1.25 litre) whole wheat flour, mixing it in with a circular motion. Turn out onto a pastry board and knead in remaining flour. Form into a smooth ball and place in a lightly greased bowl. Lightly grease surface of dough. Cover with a damp cloth and leave to double in size (1^1/$_2$ hours). Punch down with your fist, divide into four and shape loaves. Place in greased bread pans. Cover and leave to double in size (for 1 hour). Preheat oven to 400°F (200°C). Bake at 400°F (200°C) for 25 to 30 minutes.

French-Style Bread

$^1/_2$ cup (125 mL) butter
2 to 3 Tbs. (30 to 45 mL) parsley
$^1/_2$ to 1 tsp. (2 to 5 mL) marjoram
1 clove garlic, minced
1-12 inch (30 cm) baguette (French bread)

Selector position: ☒
Rack position: 2

Cream butter, add parsley, marjoram and clove of garlic, minced. Slice bread, but not all the way through. Spread mixture on each slice and wrap in aluminum foil. Bake at 375°F (190°C) for 15 to 20 minutes.

Pasta

Lasagne

1 cup (250 mL) onions, chopped
2 cloves garlic
$^1/_2$ cup (125 mL) celery, chopped very fine
$^1/_4$ cup (60 mL) oil
2 lb (1 kg) ground beef
$1^1/_2$ tsp. (7 mL) salt
1-28 oz (840 mL) can tomatoes
2-6 oz (175 mL) cans tomato paste
$^1/_2$ cup (125 mL) water
2 tsp. (10 mL) sugar
$1^1/_2$ tsp. (7 mL) oregano
1 tsp. (5 mL) dried parsley
$^1/_2$ tsp. (2 mL) pepper
Lasagne pasta as needed
Butter as needed
Mozzarella cheese as needed
Pepperoni (optional) as needed
Salami (optional) as needed
Green pepper as needed, cut in rounds

Selector position: ☒
Rack position: 2 or 3

Sauté onions, garlic and celery together in oil. Add ground beef and brown on medium heat. Add salt, canned tomatoes, tomato paste, water, sugar, oregano, parsley and pepper. Bring to the boil, reduce heat and simmer for $2^1/_2$ to 3 hours or until sauce thickens. Stir often. Allow to cool.

Cook the lasagne pasta.

Butter a 13" x 9" x 2" (33 cm x 23 cm x 5 cm) rectangular baking dish. Place in layers lasagne, sauce, pepperoni, grated cheese, then lasagne, sauce, salami, grated cheese and finally lasagne, grated cheese and green pepper rounds.

Bake at 375°F (190°C) for 30 to 40 minutes or until the cheese is golden.

Macaroni and Beef Pie

Pastry for top and bottom pie crust, uncooked

2 Tbs. (30 mL) butter
$^1/_2$ lb (250 g) ground beef
1 onion
$^1/_2$ cup (125 mL) celery
Salt to taste
Pepper to taste
1 cup (250 mL) macaroni, cooked
1-10 oz (284 mL) can tomato soup, concentrated
$^1/_4$ cup (60 mL) grated cheese (optional)

Selector position: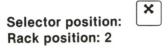
Rack position: 2

Preheat oven to 375°F (190°C).

Melt butter and sauté onion until golden. Add meat, celery, salt and pepper and cook, breaking meat into small pieces. Add macaroni and tomato soup and leave to simmer 3 to 4 minutes on a low heat.

Allow to cool before putting in pastry shell.

Pour into floured pastry shell, add grated cheese if desired, and cover with top crust .

Bake in a preheated oven at 375°F (190°C) on rack position 2 for 30 to 35 minutes.

Serve with salad.

Pizza

Pizza Dough:

1 tsp. (5 mL) sugar
$^1/_2$ cup (125 mL) warm water (100°F/38°C)
1-$^1/_4$ oz (8 g) package dry active yeast
$^1/_4$ cup (60 mL) vegetable oil
$^1/_2$ cup (125 mL) warm water
1$^1/_4$ tsp. (6 mL) salt
2$^1/_4$ to 2$^1/_2$ cups (550 to 625 mL) flour

Selector position: ☒
Rack position: 2 or 3

Dissolve sugar in water and sprinkle in one package dry active yeast. Leave to rise for 10 minutes, then stir. Pour softened yeast into a large bowl and add oil, warm water, salt and 1$^1/_4$ cups (310 mL) flour. Beat vigorously by hand. Continue stirring and gradually add remaining flour. Mix the last of the flour in with your hands. Turn out onto a floured surface and knead for 8 to 10 minutes. Form into a smooth ball and place in a greased bowl. Roll the dough around in the bowl so it is covered with oil. Cover with a damp cloth and leave to double in size (for 45 minutes) in a warm place. Punch down dough, divide in two and form into 2 balls. Place on pizza pans and spread out into two 12 inch (30 cm) circles by pressing with your fingers, keeping dough a little thicker at the edges.

Pizza Sauce:
For 4-12 inch (30 cm) pizzas.

1-20 oz (568 mL) can tomatoes
1-5 $^3/_4$ (170 mL) can tomato paste
1 clove garlic
1 Tbs. (15 mL) oil
$^1/_2$ tsp. (2 mL) oregano

1 tsp. (5 mL) sugar
$^1/_4$ tsp. (1 mL) marjoram
$^1/_2$ tsp. (2 mL) parsley
$^1/_4$ tsp. (1 mL) salt
$^1/_8$ tsp. (0.5 mL) pepper
A pinch of Chili powder (optional)

Combine all ingredients. Bring to the boil on a low heat and leave to simmer for 5 minutes. Stir 3 or 4 times.

Pepperoni as needed
Salami as needed
Green pepper as needed
Grated Mozzarella cheese as needed
Fresh mushrooms sliced, as needed
Black olives (optional)

Roll out the dough to fit a 12 inch (30 cm) pizza pan and garnish with sauce. Add pepperoni, salami, mushrooms, grated Mozzarella cheese and green pepper rounds. Garnish with black olives, if desired.

Preheat oven to 400°F (200°C). Rack position: 2 to 3.

Bake at 400°F (200°C) for 20 to 25 minutes or until the cheese is golden.

Special Oven-Baked Rigatoni

$^1/_2$ lb (250 g) rigatoni uncooked
8 to 10 slices bacon
$^1/_4$ cup (60 mL) butter
$^1/_4$ cup (60 mL) whipping cream (35%)
4 eggs
1 to 2 Tbs. (15 to 30 mL) parsley, chopped
$^1/_4$ tsp. (1 mL) pepper
Salt to taste
Bread crumbs as needed

Selector position: ☒
Rack position: 2

Cook pasta and set aside.
Have butter, eggs and cream at room temperature.
Cut bacon into small pieces and cook until crisp. Drain on paper towel. Beat eggs and add whipping cream. Add butter to pasta and mix in. Add parsley and pepper to eggs and cream. Place pasta in an 8-inch (20 cm) square baking dish. Pour on liquid mixture. Salt and sprinkle with bread crumbs.
Bake at 350°F (180°C) on rack position 2 for 20 to 25 minutes.

Spaghetti with Beef and Tomatoes

1 lb (500 g) spaghetti, uncooked
1·28 oz (840 mL) can tomatoes
1 tsp. (5 mL) sugar
2 to 3 Tbs. (30 to 45 mL) butter
1 onion, finely chopped
2 stalks celery, finely cut
$^3/_4$ to 1 lb (360 to 500 g) ground beef
Salt to taste
Pepper to taste
$^1/_2$ cup (125 mL) Chili sauce
$^1/_2$ lb (250 g) Mozzarella cheese, diced
Bread crumbs (optional) as needed

Selector position:
Rack position: 2

Cook spaghetti and drain. Simmer tomatoes with sugar for 10 minutes. Melt butter, add onion, celery and cook until golden. Add beef, salt and pepper and cook for a few minutes. Add tomatoes and Chili sauce. Allow to simmer on a low heat for 10 minutes. Stir often. Combine spaghetti and meat sauce and place in a rectangular baking dish. Dice cheese and combine with spaghetti and sauce. Cover with bread crumbs.

Bake at 375°F (190°C) for 20 to 25 minutes.

If you are not using bread crumbs, be sure to cover the dish so the pasta doesn't dry out.

Chapter four

Vegetables

- *Ginger Carrots*
- *Eggplant Casserole*
- *Vegetable Casserole*
- *Cauliflower au Gratin*
- *Stuffed Zucchini*
- *Cabbage Plate*
- *Potatoe Pie*
- *Scalloped Potatoes and Vegetables*
- *Tomatoes Stuffed with Rice*

Ginger Carrots

8 medium-sized carrots
2 tsp. (10 mL) lemon juice
1 tsp. (5 mL) salt
$^1/_2$ tsp. (2 mL) ground ginger
$^1/_8$ tsp. (0.5 mL) pepper
1 Tbs. (15 mL) butter

Selector position:
Rack position: 2

Peel carrots and slice very thinly. Place them in a greased 1 quart (1 litre) baking dish.

Combine lemon juice, ginger, salt and pepper and pour over carrots. Dot with butter and cover tightly. Bake at 400°F (200°C) for 35 minutes on rack position 2. Stir carrots with a fork, cover again and bake for another 10 to 15 minutes or until tender.

N.B.: For best results, carrots must be sliced very finely.

Eggplant Casserole

2 Tbs. (30 mL) corn oil
1 onion, chopped
1 green pepper, diced
1 lb (500 g) ground beef
1¹/₂ tsp. (7 mL) salt
¹/₂ tsp. (2 mL) pepper
¹/₂ tsp. (2 mL) oregano
1 eggplant, cubed
1 egg, beaten
1-12 oz (341 mL) can corn kernels
Grated Cheddar cheese
Tomatoes, sliced, as needed
Fresh parsley, chopped, as needed

Selector position:
Rack position: 2 and 3

Heat oil and sauté onion and green pepper. Add ground beef and seasonings. Cook until meat loses its colour, then drain. Add corn, eggplant and beaten egg. Place in a 9" x 13" (23 cm x 33 cm) oven dish. Sprinkle with grated cheese and bake at 350°F (180° C) for approximately 35 minutes. Brown under the broiler for 2 to 3 minutes. Garnish with tomato slices and parsley.

Vegetable Casserole

2 Tbs. (30 mL) butter
1 minced onion
1 lb (500 g) ground beef
3 Tbs. (45 mL) flour
1-1^1/$_2$ oz (42 g) package beef and noodle soup
2^1/$_2$ cups (625 mL) water
^{1}/$_3$ cup (80 mL) ketchup
1 tsp. (5 mL) salt
^{1}/$_8$ tsp. (0.5 mL) pepper
2 cups (500 mL) cooked vegetables
or 1-19 oz (540 mL) can mixed vegetables

Selector position: ☒
Rack position: 2

Sauté onion in butter in a frying pan on top of the stove. Add beef and gradually stir in flour. Add soup, water, ketchup, salt and pepper. Cook, and stir until thick. Add cooked vegetables. Place mixture in a 13" x 9" (23 cm x 33 cm) rectangular baking dish. Bake at 400°F (200°C), on rack position 2, for 25 to 30 minutes.

Cauliflower au Gratin

1 head cauliflower, divided into florets
2 Tbs. (30 mL) butter
1 onion, finely chopped
2 Tbs. (30 mL) flour
2 cups (500 mL) milk
Salt to taste
Pepper to taste
$^1/_2$ to $^3/_4$ cup (125 to 180 mL) grated cheese
Bread crumbs as needed

Selector position:
Rack position: 4

Cook cauliflower in boiling, salted water. Drain well and place in an oven-proof serving dish. In a pot, heat butter, add onion and cook until transparent (about 1 to 2 minutes). Add flour and cook for a minute, then remove from heat, add milk and mix thoroughly. Return to a low heat and cook, stirring constantly until thick. Salt and pepper to taste. Add grated cheese and stir until melted. Pour sauce over cauliflower and sprinkle with bread crumbs. Brown in the oven for 3 to 4 minutes on rack position 4.

Broccoli au Gratin

Broccoli may be used in place of cauliflower.

Stuffed Zucchini

8 oz (250 g) zucchinis, about 2
$^3/_4$ lb (350 g) ground beef
1 onion, finely chopped
Salt and pepper to taste
1-10 oz (284 mL) can cream of tomato soup, concentrated
Grated cheese, to taste

Selector position: ☒
Rack position: 2

Cut zucchinis in two, lengthwise. Remove the pulp with a small spoon and set aside. Combine beef, chopped pulp, onion, salt and pepper. Stuff zucchini skins with this mixture. Pour concentrated cream of tomato soup over zucchinis. Bake at 350°F (180°C) on rack position 2 for approximately 10 minutes. Garnish with cheese and continue to cook for another 10 minutes.

N.B.: An alternative cooking method: bake at 350°F (180°C) for 15 minutes and then select broil.

Cabbage Plate

5 to 6 cups (625 to 750 mL) cabbage cut in strips
2 Tbs. (30 mL) butter
1$^1/_2$ lb (750 g) ground steak
1 cup (250 mL) minced celery
$^1/_2$ cup (125 mL) minced onion
Salt and pepper to taste
1-10 oz (284 mL) can vegetable soup (condensed)
1-14 oz (398 mL) can tomato sauce
Grated Mozzarella cheese as needed

Selector position:
Rack position: 2

Melt butter, add onion, celery and ground steak. Break meat into pieces and brown. Season and add vegetable soup.

Place 2$^1/_2$ to 3 cups (625 to 750 mL) cabbage on a baking dish and add meat mixture, then add remaining cabbage and cover with tomato sauce. Top with grated cheese.

Bake at 350°F (180°C) on rack position 2 for 45 to 55 minutes. Cooking time will depend very much on how the cabbage has been cut.

Potato Pie

2 pie shells (9"/23 cm), uncooked
2 to 3 cups (500 to 625 mL) mashed potatoes
1 minced onion
1 Tbs. (15 mL) butter
$^1/_4$ cup (60 mL) minced celery
Salt to taste
Pepper to taste

Selector position: ⊠
Rack position: 2

Preheat oven to 375°F (190°C).

Melt butter and sauté onion and celery until tender. Add onions and celery to mashed potatoes (mash potatoes with butter, not milk). Season to taste.

Place potatoes in floured pie shell, then cover with top shell. Bake in preheated oven at 375°F (190°C) on rack position 2 for 30 to 35 minutes. If you wish to freeze this dish, add one egg yolk to the mashed potatoes.

Scalloped Potatoes and Vegetables

2 Tbs. (30 mL) butter
2 Tbs. (30 mL) flour
1 tsp. (5 mL) salt
1 tsp. (5 mL) pepper
2 cups (500 mL) milk
4 cups (1 L) potatoes, thinly sliced
1 cup (250 mL) carrots, thinly sliced
1 cup (250 mL) onions, thinly sliced

Selector position: ☒
Rack position: 1 or 2

Melt butter, add flour, salt and pepper. Gradually add milk and cook, stirring constantly until mixture is smooth and thick.

Add vegetables and bring to a boil. Pour into a greased, 2-quart (2 litre) baking dish. Cover and cook at 350°F (180°C) on rack position 1 for 55 to 60 minutes. Stir occasionally while cooking.

N.B.: This dish may be browned under the broiler, if desired.

Tomatoes Stuffed with Rice

4 tomatoes with pulp removed
1 1/4 cups (310 mL) cooked rice
3 green onions, chopped
1/2 tsp. (2 mL) garlic salt
Salt and pepper to taste
Butter as needed
Bread crumbs as needed

Selector position: ☒
Rack position: 2

Remove pulp from tomatoes. Combine rice, green onion, garlic salt, salt and pepper. Stuff tomatoes with this mixture. Dot with butter and sprinkle with bread crumbs. Bake at 350°F (180°C) on rack position 2 for 10 to 15 minutes.

N.B.: Cooked chicken or fish may be added to rice mixture, if desired.

Chapter five

Lamb

- *Loin Roast of Lamb*
- *Lamb Casserole*
- *Leg of Lamb*
- *Lamb Timbale*

Cooking Chart: LAMB

Cut of meat	Approximate weight	Rack position	Oven temperature not preheated	Cooking method	Internal temp. of meat when cooked	Approximate cooking time per lb (500 g)
Leg	4-5 lb (2 - 2,5 kg)	1	325°F (162°C)	☒	160°F (71°C) - medium 170°F (76°C) - well-done	28-30 min. 35-40 min.
Loin	3 lb (1,5 kg)	1	325°F (162°C)	☒	160°F (71°C) - medium 170°F (76°C) - well-done	28-30 min. 30-35 min.
Chops	1 lb (500 g)	2	350°F (180°C)	☒		28-30 min.

N.B.: The data given in this chart have been tested with the recipes in this book.

Loin Roast of Lamb

3 lb (1.4 kg) loin roast
$^1/_2$ tsp. (2 mL) salt and pepper
$^1/_2$ tsp. (2 mL) dried rosemary
$^1/_2$ tsp. (2 mL) ground ginger
Rind of one lemon, grated
2 Tbs. (30 mL) olive oil

Selector position:
Rack position: 1

Place loin roast in a roasting pan. Combine salt, pepper, rosemary, ginger, lemon rind and oil. Rub lamb with this mixture. Bake at 325°F (162°C) on rack position 1 for about 30 to 35 minutes to the pound (500 g).

Lamb Casserole

2 lb (1 kg) lamb chops
3 Tbs. (45 mL) oil
1 large onion, sliced
3 tomatoes, quartered
1-10 oz (284 mL) can carrots, drained
1 Tbs. (15 mL) tomato paste
$^1/_2$ cup (125 mL) white wine
$^3/_4$ to 1 cup (180 to 250 mL) chicken stock, fresh or in cube form
Salt and pepper to taste
2 tsp. (10 mL) corn starch
1 Tbs. (15 mL) water
Parsley (optional)

Selector position: ☒
Rack position: 2

Heat oil, and brown chops on both sides. Place in a rectangular baking dish. Fry onion in frying pan and add quartered tomatoes, carrots, tomato paste, white wine, chicken stock, salt and pepper. Simmer for a few minutes, then pour over lamb chops. Bake at 350°F (180°C) on rack position 2 for 40 to 50 minutes.

Before serving, thicken gravy with corn starch dissolved in cold water.

Sprinkle with parsley, if desired.

Leg of Lamb

4 to 5 lb (2 to 2.5 kg) leg of lamb
2 cloves garlic
1 Tbs. (15 mL) dried rosemary
Salt and pepper to taste
$^1/_3$ cup (80 mL) apricot jelly
2 Tbs. (30 mL) lemon juice

Selector position:
Rack position: 1

Slice garlic and insert slivers into leg of lamb in several places. Rub the roast with rosemary, salt and pepper. Place on a roasting pan and bake at 325°F (162°C) for approximately 28 to 40 minutes per pound (500 g) or until meat thermometer registers an internal temperature of 160°F (71°C) for medium and 170°F (76°C) for well-done.

About $^1/_2$ hour before the end of roasting, baste or brush the roast with apricot jelly that has been diluted with lemon juice.

Lamb Timbale

3 cups (750 mL) cooked lamb
1^1/$_2$ cups (375 mL) bread crumbs
1^1/$_2$ cups (375 mL) hot milk
3 Tbs. (45 mL) melted butter
3 eggs, beaten
A pinch of paprika
A pinch of salt

Selector position: ☒
Rack position: 1

Preheat oven to 350°F (180°C).

Grind the meat. Soak bread crumbs in hot milk for 5 minutes. Add butter, beaten eggs, meat and seasonings. Pour into one large, buttered mould (or use individual serving moulds). Place in a pan of hot water and bake at 350°F (180°C) for about 30 minutes or until the timbale becomes firm in the centre. Turn out onto a bed of lettuce and serve with sliced tomatoes and cucumbers.

Chapter six

Beef

- *Boeuf Bourguignon*
- *Braised Beef with Onion*
- *Oven Hamburger-Meatballs*
- *Meatballs Deluxe*
- *Beef Kebabs*
- *Delicious Liver Casserole*
- *Meat Loaf*
- *Last Minute Meat Loaf*
- *Beef Pot Pie*
- *Roast Beef with Gravy*
- *Steak with Green and Red Peppers*

Cooking Chart: BEEF

Cut of meat	Approximate weight	Rack position	Oven temperature not preheated	Cooking method	Internal temp. of meat when cooked	Approximate cooking time per lb (500 g)
Roastbeef	2 to 4 lb (1 to 2 kg)	1	350°F (180°C)	☒	140°F (60°C) - rare	25-30 min.
Fillet Boston Surloin					160°F (71°C) - medium 170°F (76°C) - well-done	30-35 min. 35-40 min.
French cut	3 to 4 lb (1,5 to 2 kg)	1	350°F (180°C)	☒	140°F (60°C) - rare 160°F (71°C) - medium	15-20 min. 20-25 min.
Braised (Pot roasts)	2 to 3 lb (1 to 1,5 kg)	1	350°F (180°C)	☒		35-40 min.
Meat loaf	2 lb (1 kg)	1 or 2	350°F (180°C)	☒		20-25 min.

N.B.: The data given in this chart have been tested with the recipes in this book.

56

Boeuf Bourguignon

1^1/$_2$ lb (750 g) round steak, cut in 1 inch (2.5 cm) cubes
1 cup (250 mL) red wine
1 clove garlic
1 bay leaf
^{1}/$_2$ tsp. (2mL) thyme
Salt and pepper to taste
3 Tbs. (45 mL) flour
2 Tbs. (30 mL) butter
2 tsp. (10 mL) beef Bovril or concentrated beef broth
2 carrots, cut into pieces
^{1}/$_2$ sliced leek
1 tsp. (5 mL) parsley
^{1}/$_2$ cup (125 mL) beef bouillon
^{1}/$_2$ lb (250 g) mushrooms

Selector position: ☒
Rack position: 1

Marinate beef overnight in the red wine combined with garlic, bay leaf, thyme, salt and pepper. Remove the garlic and bay leaf. Add remaining ingredients and mix well. Cover and bake at 325°F (162°C) on rack position 1 for approximately 3 to 3^1/$_2$ hours. Add ^{1}/$_2$ lb (250 g) fresh mushrooms for the last 15 minutes of cooking time.

Braised Beef with Onion

2 to 3 lb (1 to 1.5 kg) pot roast (shoulder cut)
1-1^1/$_2$ oz (42 g) envelope of onion soup
3 carrots
7 to 8 small potatoes
^{1}/$_4$ tsp. (1 mL) thyme
^{1}/$_8$ tsp. (0.5 mL) garlic salt
A pinch of sugar
^{3}/$_4$ cup (180 mL) apple juice

Selector position: ☒
Rack position: 1

Place beef on aluminum foil in a shallow baking dish. Rub
with onion soup mixture, then season. Sprinkle with apple juice,
wrap and seal with aluminum foil. Bake at 350°F (180°C) on rack
position 1 for about 1^1/$_2$ hours. Add vegetables around the roast
inside the aluminum foil. Close up the aluminum foil again and
continue cooking about 1^1/$_2$ hours more.

Oven Hamburger-Meatballs

1$^1/_2$ lb (750 g) ground beef
Flour as needed
Butter as needed
1 large onion, cut in rounds
Salt and pepper to taste
1-10 oz (284 mL) can cream of tomato soup
$^1/_2$ cup (125 mL) water

Selector position: ☒
Rack position: 1

Form beef into 3 inch (7.5 cm) diameter meatballs. Dredge with flour and place in an oven dish. Melt butter in a frying pan and cook onions until golden. Place onions on meatballs and season. Mix cream of tomato soup with water and pour over meatballs. Cover and bake at 350°F (180°C) on rack position 1 for 25 to 30 minutes.

Meatballs Deluxe

$1^1/_2$ lb (750 g) lean ground beef
$^1/_2$ cup (125 mL) bread crumbs
$^1/_2$ tsp. (2 mL) prepared mustard
$^1/_4$ cup (60 mL) onion, chopped
1 tsp. (5 mL) salt
1 egg, beaten
$^3/_4$ cup (180 mL) ketchup
1-14 oz (398 mL) can pineapple bits

Selector position: ☒
Rack position: 1

Combine ground beef, bread crumbs, mustard, onion, salt and egg. Form into small, 1 inch (2.5 cm) diameter meatballs and place in a lightly greased pan. Bake at 350°F (180°C) on rack position 1 for 10 to 15 minutes, turning them time to time so that they brown evenly. Drain off fat. Combine ketchup and canned pineapple bits with juice. Pour over meatballs and continue cooking for another 10 to 15 minutes.

N.B.: The gravy may be thickened, if desired.

Beef Kebabs

Cubed beef (a tender cut, in 1 to 1$^1/_2$ inch (2.5 to 3.7 cm) pieces)

Marinade:

$^1/_2$ cup (125 mL) red Burgundy wine
1 tsp. (5 mL) Worcestershire sauce
1 clove garlic
$^1/_2$ cup (125 mL) salad oil
2 Tbs. (30 mL) ketchup
1$^1/_2$ tsp. (2 mL) sugar
1$^1/_2$ tsp. (2mL) salt
$^1/_2$ tsp. (2 mL) monosodium glutamate
1 Tbs. (30 mL) vinegar
$^1/_2$ tsp. (2 mL) dried rosemary
$^1/_2$ tsp. (2 mL) dried marjoram
Onions cut into pieces
Green peppers cut into pieces
Large mushrooms

Selector position:
Rack position: 4

Combine wine, Worcestershire sauce, garlic, oil, ketchup and seasonings. Marinate beef cubes and mushrooms for 2 to 4 hours. Preheat oven to 550°F (288°C). Prepare kebabs alternating meat, green pepper, onion and mushrooms. Bake at 550°F (288°C) on rack 4 for:

rare: 6 minutes.
medium: 8 minutes.
well-done: 10 minutes.
Turn at half time.

Delicious Liver Casserole

1 lb (500 g) beef liver (sliced)
Butter as needed
3 onions, sliced
3 carrots, cut in rounds
3 potatoes, cut in pieces
$^1/_4$ cup (60 mL) ketchup
$^1/_4$ cup (60 mL) Chili sauce
Salt and pepper to taste
1 cup (250 mL) boiling water

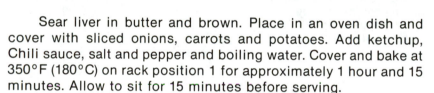

Selector position:
Rack position: 1

Sear liver in butter and brown. Place in an oven dish and cover with sliced onions, carrots and potatoes. Add ketchup, Chili sauce, salt and pepper and boiling water. Cover and bake at 350°F (180°C) on rack position 1 for approximately 1 hour and 15 minutes. Allow to sit for 15 minutes before serving.

N.B.: Cooked vegetables (potatoes and carrots) may be used, in which case the cooking time would be reduced to 30 to 40 minutes.

Meat Loaf

2 lb (1 kg) ground beef
1 onion
$^1/_2$ cup (125 mL) ketchup
2 eggs, beaten
Salt and pepper to taste
A few drops Worcestershire sauce
15 soda crackers, crumbed

Selector position: ☒
Rack position: 1

Combine all ingredients and place in a square pyrex dish. Bake at 350°F (180°C) on rack position 1, for approximately 40 to 50 minutes.

Last Minute Meat Loaf

1$^1/_2$ lb (750 g) ground beef
1-10 oz (284 mL) can cream of tomato soup
$^1/_2$ cup (125 mL) minute rice
1 medium onion, minced
Salt and pepper to taste

Selector position: ☒
Rack position: 1

Combine all ingredients and place in a 9" x 5" (23 cm x 13 cm) pyrex loaf pan. Bake at 350°F (180°C) on rack position 1 for approximately 40 to 50 minutes.

Beef Pot Pie

2 Tbs. (30 mL) butter or margarine
1 onion
1 lb (500 g) ground beef
$^1/_2$ tsp. (2 mL) salt
1-10 oz (284 mL) can tomato soup

Dough:
1$^1/_2$ cups (375 mL) flour
3 Tbs. (45 mL) baking powder
1 tsp. (5 mL) paprika
1 tsp. (5 mL) celery salt
$^1/_4$ tsp. (1 mL) salt
$^1/_4$ tsp. (1 mL) pepper
$^1/_3$ cup (80 mL) vegetable shortening
$^3/_4$ cup (180 mL) milk

Selector position: **☒**
Rack position: 1

Preheat oven to 450°F (230°C).

Fry onions in butter. Add ground beef, salt and tomato soup. Bring to a boil.

Dough

Sift together flour, baking powder, salt, pepper, celery salt and paprika. Cut shortening into flour; add milk and mix. Roll out a little and spread over the meat. Bake at 450°F (230°C) for approximately 15 minutes.

Roast Beef with Gravy

3 to 4 lb (1.5 to 2 kg) roast of beef
2 Tbs. (30 mL) butter
1 tsp. (5 mL) dry mustard
$^1/_2$ tsp. (2 mL) pepper
$^1/_4$ tsp. (1 mL) cayenne pepper
1 tsp. (5 mL) salt
$^1/_4$ cup (60 mL) oil

Selector position: ☒
Rack position: 1

Cream butter. Add mustard, pepper, cayenne pepper, salt and oil. Rub roast of beef with this mixture. Place on a roasting pan. Bake at 350°F (180°C) on rack position 1.

Rare: 25 to 30 min./lb (500 g), or 140°F (60°C) on meat thermometer.

Medium: 30 to 35 min./lb (500 g), or 160°F (71°C) on meat thermometer.

Well-done: 35 to 40 min./lb (500 g), or 170°F (76°C) on meat thermometer.

Steak with Green and Red Peppers

1$^1/_2$ to 2 lb (750 g to 1 kg) round steak — $^1/_2$ inch (2.5 cm) thick
2 Tbs. (30 mL) butter
1-28 oz (796 mL) can tomatoes
1 minced onion
1 chopped clove garlic
2 cubes beef bouillon
$^1/_4$ cup (60 mL) hot water
Pepper to taste
1 green pepper, sliced in sticks
1 red pepper, slices in sticks
1 tps. (5 mL) Worcestershire sauce

Selector position: ☒
Rack position: 1

To prepare the meat, cut into 2" x $^1/_4$" (5 cm x 0.6 cm) strips. Heat butter and brown meat. Drain off excess fat. Drain juice from tomatoes and keep them for later. Add tomato juice, onion, garlic, beef bouillon cubes (dissolved in hot water), Worcestershire sauce, salt and pepper to meat. Cover and bake at 350°F (180°C) on rack position 1 approximately 45 minutes. Add red and green peppers and tomatoes; continue cooking for about 15 to 30 minutes or until peppers are cooked.

Chapter seven

Fowl

- *Turkey Kebabs*
- *Roast Chicken Breasts or Legs*
- *Roast Turkey*
- *Chicken or Turkey Pie*
- *Boiled Chicken with Vegetables*
- *Roast Chicken*
- *Chicken Soufflé*
- *Denise's Chicken Livers*

Cooking Chart: FOWL

Cut of meat	Approximate weight	Rack position	Oven temperature not preheated	Cooking method	Internal temp. of meat when cooked	Approximate cooking time per lb (500 g)
Turkey	8-10 lb (4-5 kg)	1 or 2	325°F (162°C)	☒	180°F (82°C)	22 to 24 min.
Chicken	3-4 lb (1.5 - 2 kg)	1 or 2	350°F (180°C)	☒	180°F (82°C)	24 to 27 min.
Chicken parts		2 or 3	350°F (180°C)	☒		about 2 hours

N.B.: The data given in this chart have been tested with the recipes in this book.

68

Turkey Kebabs

1 turkey breast cut into 1 inch (2.5 cm) cubes
1 green pepper, cut in pieces
1 red pepper, cut in pieces
2 medium-sized onions, quartered
1-19 oz (540 mL) can pineapple cubes
20 slices of bacon
4 metal kebab skewers (7 inch/18 cm)

Marinade:

1 Tbs. (15 mL) Kitchen Bouquet Sauce or browning sauce
1 tsp. (5 mL) Worcestershire sauce
1 Tbs. (15 mL) butter
1 pinch each of salt, pepper and paprika

Selector position:
Rack position: 3

Preheat broiler to 550°F (288°C).
Wash and cut turkey breast into 1 inch (2.5 cm) cubes. Slip one piece each of onion, green pepper, turkey wrapped in bacon, pineapple, red pepper onto skewers and repeat. Prepare the marinade and brush kebabs. Broil one side on rack position 3 for 10 minutes. Turn and brush with marinade and broil again for about 5 more minutes. Serve on a bed of rice and vegetables.

Roast Chicken Breasts or Legs

4 to 6 pieces of chicken
Juice of one lemon
Salt and pepper to taste

Selector position: [✖]
Rack position: 2

Preheat broiler to 550°F (288°C).

Place the chicken pieces on a roasting pan, sprinkle with lemon juice and salt and pepper both sides. Place under broiler for 5 minutes, turn and continue cooking for 5 more minutes. Lower rack to position 2 and bake at 350°F (180°C) for 20 to 25 minutes.

Roast Turkey

1 turkey
4 Tbs. (75 mL) melted butter
1 minced onion
1 minced stalk celery
1 sliced carrot
$^1/_2$ tsp. (2 mL) salt
$^1/_2$ tsp. (2 mL) pepper

Selector position:
Rack position: 1 or 2

Put vegetables into turkey cavity. Place turkey on a roasting pan and brush with melted butter and seasonings. Wrap entirely in aluminum foil and bake at 325°F (162°C) on rack position 1 or 2 for 22 to 24 minutes per pound (500 g). Unwrap foil for last half hour of cooking time. Serve with a cranberry sauce.

Chicken or Turkey Pie

2 pie shells (9"/23 cm), uncooked
$^1/_2$ cup (125 mL) minced celery
$^3/_4$ cup (180 mL) carrots, cut in thin slices
Green or red pepper to taste, cut in small pieces
$^1/_2$ cup (125 mL) green peas or other vegetable
$1^1/_2$ to 2 cups (375 to 500 mL) cooked chicken, cubed
1-10 oz (284 mL) can cream of mushroom soup

Selector position: ☒
Rack position: 1

Preheat oven to 350°F (180°C).

Cook vegetables and drain. Add chicken and cream of mushroom soup. Place mixture in a pie shell and cover with upper crust. Brush with milk and bake at 350°F (180°C) on rack position 1 for 50 to 60 minutes.

Boiled Chicken with Vegetables

1-4 to 5 lb (2 to 2.5 kg) chicken
Butter as needed
Boiling water as needed
1 sliced onion
2 stalks celery, cut in pieces
1 bay leaf
$^1/_2$ tsp. (2 mL) salt

Selector position:
Rack position: 2

Melt butter in a frying pan and brown the chicken on all sides. Place chicken in a pot and half cover with water. Add onions, celery, bay leaf and salt. Cover and simmer on rack position 2 at 350°F (180°C) for approximately 2$^1/_2$ to 3 hours depending on the weight of the chicken.

Roast Chicken

1-4 to 5 lb (2 to 2.4 kg) chicken
1 onion, cut in two
$1/_4$ tsp. (1 mL) thyme
$1/_2$ tsp. (2 mL) salt
$1/_4$ tsp. (1 mL) pepper
3 Tbs. (45 mL) butter
1 Tbs. (15 mL) dry mustard

Selector position: ☒
Rack position: 1 or 2

Clean chicken. Stuff with onion, thyme, salt and pepper. Tie up and place on a roasting pan. Cream together butter and dry mustard and brush over chicken. Bake on rack position 1 or 2 for 35 to 40 minutes per pound (500 g).

Chicken Soufflé

2 cups (500 mL) light béchamel sauce
2 Tbs. (30 mL) breading mixture
2 cups (500 mL) cooked chicken, finely chopped
3 egg yolks, well beaten
1 Tbs. (15 mL) parsley
3 egg whites, beaten stiff
1 tsp. (5 mL) salt
$^1/_2$ tsp. (2 mL) pepper

Selector position: ☒
Rack position: 1 or 2

Preheat oven to 325°F (162°C).

Add breading to béchamel sauce and cook for 2 minutes. Off heat, add chicken, egg yolks, parsley, salt and pepper. Fold in beaten egg whites. Pour into an oven dish and bake at 325°F (162°C) on rack position 1 or 2 for 40 to 45 minutes.

Denise's Chicken Livers

4 slices bacon, cut into pieces
1 onion, chopped
$^1/_2$ green pepper, chopped
1 lb (500 g) breaded chicken livers
1-19 oz (539 mL) can tomatoes
Salt and pepper to taste

Selector position: ✕
Rack position: 2

    Fry bacon in a frying pan and add onion and green pepper. Remove ingredients and brown breaded liver on both sides.

    Place livers, onion, green pepper and tomatoes, salt and pepper in an oven dish. Cover and bake at 350°F (180°C) on rack position 2 for approximately 20 minutes.

Chapter eight

Pork

- *Barbecued Pork Chops*
- *Pork Chops with Tomatoes*
- *Pork Tenderloin with Wine*
- *Pork Tenderloin with Mushrooms*
- *Boneless Pork Loin Roast*
- *Roast Pork with Apples*
- *Spareribs*
- *Baked Garnished Ham*

Cooking Chart: PORK

Cut of meat	Approximate weight	Rack position	Oven temperature not preheated	Cooking method	Internal temp. of meat when cooked	Approximate cooking time per lb (500 g)
Rolled roast	3-4 lb (1.5 - 2 kg)	1 or 2	350°F (180°C)	☒	170°F (76°C)	30 to 35 min.
Loin roast	3-4 lb (1.5 - 2 kg)	1 or 2	350°F (180°C)	☒	170°F (76°C)	30 to 35 min.
Tenderloin	1 or 2	2	350°F (180°C)	☒	170°F (76°C)	25 to 30 min.
Chops	4-6 pieces	1 or 2	350°F (180°C)	☒	170°F (76°C)	45 to 50 min.
Rolled ham	3-4 lb (1.5 - 2 kg)	1 or 2	350°F (180°C)	☒		25 to 35 min.

N.B.: The data given in this chart have been tested with the recipes in this book.

78

Barbecued Pork Chops

5 to 6 pork chops
Butter as needed
Salt and pepper to taste
Garlic salt to taste
$^1/_3$ cup (80 mL) melted butter
$^1/_3$ cup (80 mL) vinegar
1 Tbs. (15 mL) Worcestershire sauce
1 tsp. (5 mL) dry mustard
$^1/_2$ cup (125 mL) brown sugar
$^2/_3$ cup (160 mL) ketchup
1 Tbs. (15 mL) lemon juice
$^1/_3$ cup (80 mL) water

Selector position: ☒
Rack position: 1

Melt butter in a frying pan, add pork chops and brown on both sides turning frequently. Season with salt, pepper and garlic salt near the end of cooking. Place chops in an oven dish. In a pot combine melted butter, vinegar, Worcestershire sauce, dry mustard, brown sugar, ketchup, lemon juice and water. Boil until thick, then pour over the pork chops. Cover and bake at 350°F (180°C) on rack position 1 for 40 to 45 minutes.

Pork Chops with Tomatoes

1 Tbs. (15 mL) butter
1 Tbs. (15 mL) fat
1 onion
4 to 6 pork chops
Salt and pepper to taste
1-19 oz (539 mL) can braised tomatoes
2 bay leaves

Selector position:
Rack position: 1

Melt butter and fat in a frying pan. Fry onion and brown chops, turning often. Place in an oven dish and add tomatoes, bay leaves, salt and pepper. Cover and bake at 350°F (180°C) on rack position 1, for 40 to 45 minutes.

Pork Tenderloin with Wine

Butter as needed
1 or 2 pieces pork tenderloin
$^2/_3$ cup (160 mL) beef consommé
3 Tbs. (45 mL) red wine
1 diced stalk celery
1 diced carrot
1 diced onion
Salt and pepper to taste

Selector position:
Rack position: 2

Brown tenderloin in a frying pan with onion and a small amount of butter. Place meat in an oven dish and add diced vegetables. Add consommé and wine and season. Cover and bake at 350°F (180°C) on rack position 2 for approximately 1 to 1$^1/_4$ hours.

Pork Tenderloin with Mushrooms

Pork tenderloin
1 clove garlic
Paprika as needed
3 Tbs. (45 mL) butter
1 cup (250 mL) fresh mushrooms, sliced
3 Tbs. (45 mL) lemon juice
Pepper to taste
$^{1}/_{2}$ tsp. (2 mL) marjoram
Flour
$^{1}/_{2}$ cup (125 mL) light cream (15 %)
Salt to taste

Selector position: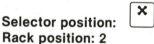
Rack position: 2

Rub tenderloin on both sides with garlic. Sprinkle with paprika and brown in warm butter at medium heat. Add mushrooms and stir so they are well coated with butter. Add lemon juice, pepper, salt and marjoram. Cover and cook at 350°F (180°C) on rack position 2 for approximately 1 to 1$^{1}/_{4}$ hours. Combine flour and cream. Place roast on a serving dish. Add flour and cream to the pork gravy and stir, scraping the bottom of the pan. Season to taste, pour over the tenderloin and serve.

Boneless Pork Loin Roast

3 to 4 lb (1.5 to 2 kg) loin roast
1 minced onion
1 clove garlic
1 cup (250 mL) water
$^{1}/_{2}$ tsp. (2 mL) dry mustard
$^{1}/_{2}$ tsp. (2 mL) salt
$^{1}/_{2}$ tsp. (2 mL) pepper

Selector position: ☒
Rack position: 1 or 2

Insert slices of garlic into flesh of roast. Sprinkle with mixture of mustard, salt and pepper. Sear all sides of the roast in a top-of-the-stove and oven-proof pot and add the minced onion. Deglaze the bottom with water. Cover and bake at 350°F (180°C) on rack position 1 or 2 for 30 to 35 minutes per pound (500 g). Baste from time to time.

Roast Pork with Apples

3 to 4 lb (1.4 to 2 kg) shoulder roast of pork
Whole cloves to taste
1 cup (250 mL) apple juice
1 cup (250 mL) brown sugar
1 tsp. (5 mL) salt
$^1/_4$ tsp. (1 mL) pepper
$^1/_2$ tsp. (2 mL) dry mustard
2 to 3 red apples, peeled and quartered

Selector position: ☒
Rack position: 1 or 2

Remove excess fat and spike roast with whole cloves. Place on a baking dish. Combine apple juice, brown sugar, salt, pepper and dry mustard. Pour over the roast. Cover and bake at 350°F (180°C) on rack position 1 or 2 for 30 to 35 minutes per pound (500 g). Baste occasionally. Uncover for the last half hour, add quartered apples and leave to cook until they are tender. Baste occasionally.

N.B.: The gravy can be thickened with corn starch.

Spareribs

2 to 2^1/$_2$ lb (1 to 1.25 kg) spareribs
^{1}/$_4$ cup (60 mL) lemon juice
^{1}/$_4$ cup (60 mL) liquid honey
1 cup (250 mL) pineapple bits
1 Tbs. (15 mL) soya sauce
1 Tbs. (15 mL) ketchup
1 green onion, minced
^{1}/$_2$ cup (125 mL) onion, minced
1 clove garlic, minced
^{1}/$_4$ cup (60 mL) pineapple juice
2 Tbs. (30 mL) liquid honey (for icing)

Selector position:
Rack position: 2

Place the spareribs in a large dish. Combine all remaining in-gredients except the 2 Tbs. (30 mL) liquid honey. Pour over spare-ribs, cover and allow to marinate for 2 hours at room temperature. Turn them every 30 minutes. Drain carefully, removing all the solid ingredients of the marinade. Keep marinade. Place ribs on a roasting pan, bone side down. Bake at 450°F (230°C) on rack po-sition 2 for 20 to 25 minutes. Drain off excess fat. Reduce heat to 350°F (180°C). Heat marinade to boiling point and pour over ribs. Bake on rack position 2 for 25 to 30 minutes basting occasionally. Five minutes before they are done, glaze ribs by brushing them with 2 Tbs. (30 mL) honey.

Baked Garnished Ham

2 1/2 to 3 lb (1 to 1.5 kg) rolled shoulder of ham
5 cloves
1 cup (250 mL) water
3 Tbs. (45 mL) brown sugar

Glaze:

4 or 5 slices of pineapple
2 Tbs. (30 mL) brown sugar
1/4 cup (60 mL) pineapple juice
1 tsp. (2 mL) dry mustard
Cherries as needed

Selector position: ⊠
Rack position: 1 or 2

Place ham in a baking dish, add cloves, water and brown sugar. Cover and bake at 350°F (180°C) on rack position 1 or 2 for 25 to 35 minutes per pound (500 g).

Remove from juice and allow to cool. Place on a roasting pan. Put pineapple slices along the top of ham and hold in place with tooth picks. Place a cherry in the centre of each slice. Combine juice, mustard and brown sugar and pour over the ham. Bake at 350°F (180°C) on rack position 2 for 10 to 15 minutes and serve.

N.B.: We can use peaches and peach juice in place of pineapple and pineapple juice.

Chapter nine

Veal

Cooking Chart: VEAL

Cut of meat	Approximate weight	Rack position	Oven temperature not preheated	Cooking method	Internal temp. of meat when cooked	Approximate cooking time per lb (500 g)
Loin	2 ½ lb (1.25 kg)	1	325°F (162°C)	✗	170°F (76°C)	30-35 min.
Shoulder unrolled	2 ½ - 3 lb (1.25 - 1.5 kg)	1	325°F (162°C)	✗	170°F (76°C)	35-40 min.
Rump	3 ½ - 4 lb (1.75 - 2 kg)	1	325°F (162°C)	✗	170°F (76°C)	45-50 min.
Cutlets	1 - 1 ½ lb (500 - 750 g)	1	350°F (180°C)	✗		45-50 min.

N.B.: The data given in this chart have been tested with the recipes in this book.

88

Veal Steaks with Cheese

1 to 1½ lb (500 to 750 g) veal steak (4-6 slices)
2 Tbs. (30 mL) butter
Salt and pepper to taste
4 to 6 slices of bacon
Grated Mozzarella cheese as needed

Selector position: ☒
Rack position: 1

Melt butter in a frying pan, add the slices of steak and brown, turning often. Season with salt and pepper when nearly done. Place steaks in an oven dish and put a slice of bacon on each. Cover and bake at 350°F (180°C) on rack position 1 for approximately 45 minutes. Add grated cheese and return to oven (covered or uncovered) for 15 to 20 minutes.

Tarragon Veal Cutlets

4 to 6 veal cutlets ($^1/_2$ inch/1.25 cm)
1 tsp. (5 mL) onion powder
A pinch of tarragon
Pepper to taste

Selector position:
Rack position: 3 or 4

Preheat oven to 550°F (288°C).

Sprinkle cutlets on both sides with onion powder, tarragon and pepper. There are two ways to cook them:

1- Place cutlets on oven rack at position 4 with a roasting pan beneath them on rack position 3.

2- Place cutlets on the roasting pan itself and place it on rack position 3.

Score the sides of the cutlets.

Cook at 550°F (288°C) for approximately:

6 minutes for medium (cook 4 minutes on one side, then turn and cook 2 minutes on the other side).

7 to 8 minutes for well-done (cook 4 minutes on one side), then turn and cook 3 to 4 minutes on the other side).

Veal Cutlets with Tomatoes

6 to 8 veal cutlets ($^1/_4$ inch/0.6 cm)
Butter as needed
1 onion
Salt and pepper to taste
$^1/_2$ cup (125 mL) water
1·28 oz (796 mL) can tomatoes

Selector position: ☒
Rack position: 1

Melt butter in a frying pan, add cutlets and brown, turning often. Season with salt and pepper towards the end of cooking, then place in an oven dish. Fry onion in frying pan and add to the cutlets. Add water to frying pan and deglaze. Add tomatoes, bring to the boil and pour over cutlets. Cover and bake at 350°F (180°C) on rack position 1 for 50 to 55 minutes.

Veal Scallops with Ham

1 to 1¹/₂ lb (500 to 750 g) veal scallops
1 to 2 Tbs. (30 to 45 mL) butter
¹/₂ cup (125 mL) fresh mushrooms, sliced
1 onion, sliced
Cooked nam, thinly sliced (1 slice per scallop)

Selector position:
Rack position: 1

Place slices of veal between two pieces of waxed paper and pound them with a meat mallet. Melt butter and brown scallops. Remove scallops, add mushrooms and onion and cook until tender. Place a slice of ham on each scallop, add mushrooms and onions, then roll up and attach. Place in an 8-inch (20 cm) square pyrex dish. Bake at 350°F (180°C) on rack position 1 for 20 to 25 minutes.

Sprinkle with grated Parmesan cheese before cooking, if desired.

Serve with a brown sauce.

Tenderized Veal Scallops

1 lb (500 g) thin veal scallops ($^1/_8$ inch/0.3 cm)
1 egg, beaten
Bread crumbs as needed
$^1/_4$ to $^1/_2$ cup (60 to 125 mL) vegetable oil
1-19 oz (540 mL) can tomatoes
Finely grated Parmesan and/or Mozzarella cheese as needed

Selector position:
Rack position: 1

Dip scallops in beaten egg, then dredge with bread crumbs. Heat oil in a frying pan and brown meat. Place veal and tomatoes, sprinkle with Parmesan or Mozzarella cheese in a 13" x 9" (33 cm x 23 cm) rectangular baking dish. Bake at 350°F (180°C) on rack position 1 for 20 to 25 minutes.

N.B.: Meat may also be placed under the broiler for a few minutes, if desired.

Veal Loin Roast

2$^1/_2$ lb (1.25 kg) loin roast of veal
Salt and pepper to taste
Flour as needed
$^1/_4$ cup (60 mL) butter
$^1/_2$ cup (125 mL) hot water
1 to 2 Tbs. (15 to 30 mL) corn starch

Selector position:
Rack position: 1

Dry meat, then sprinkle with salt, pepper and flour. Melt butter in a deep covered baking dish, add veal and fry. Stir often to prevent burning. Add $^1/_2$ cup (125 mL) warm water and cover well. Bake at 325°F (162°C) for 30 to 35 minutes per pound (500 g). Add water when necessary during cooking and uncover for the last half hour. Remove meat from baking dish, thicken gravy with corn starch dissolved in a little water. Season to taste.

Veal Loaf with Gravy

1$^1/_2$ lb (750 g) ground veal
$^1/_2$ lb (250 g) ground beef
$^2/_3$ cup (160 mL) bread crumbs
1 egg
1 onion, sliced
$^1/_3$ cup (80 mL) celery, sliced
Salt and pepper to taste
1 Tbs. (15 mL) chopped parsley
$^1/_2$-10 oz (284 mL) can tomato soup, condensed

Gravy:

$^1/_2$-10 oz (284 mL) can tomato soup, condensed
$^2/_3$ cup (180 mL) water
$^1/_4$ cup (60 mL) Chili sauce
2 Tbs. (30 mL) brown sugar (optional)

Selector position: ☒
Rack position: 1

    Combine veal, beef, bread crumbs, beaten egg, onion, celery, salt, pepper, parsley and $^1/_2$ can tomato soup. Bake in a 9" x 5" (23 cm x 13 cm) pyrex dish at 325°F (162°C) on rack position 1 for 50 to 60 minutes. Combine ingredients for gravy in a pot. Bringing to the boil and cook on a low heat for 5 to 10 minutes. Serve hot with veal loaf.

Roast of Veal with Apples

2$^{1}/_{2}$ to 3 lb (1.25 to 1.5 kg) shoulder of veal, not rolled
1 tsp. (5 mL) salt
$^{1}/_{4}$ tsp. (1 mL) pepper
1 tsp. (5 mL) prepared mustard
$^{1}/_{2}$ cup (125 mL) vegetable oil
4 slices salted lard
3 apples, quartered
$^{1}/_{2}$ cup (125 mL) carrots, sliced
1 onion, quartered
$^{1}/_{2}$ cup (125 mL) celery, sliced
Corn starch as needed
2-10 oz (284 mL) cans beef consommé

Selector position:
Rack position: 1

Salt and pepper the roast, then coat with prepared mustard and brown in hot oil in a pot. Remove most of the oil. Place slices of salted lard on the top of roast. Cover and bake at 325°F (162°C) on rack position 1 for 35 to 40 minutes per pound (500 g). Add apples, onion, carrots and celery for last half hour of cooking time, and continue to cook covered. When done, remove roast and vegetables, bring liquid to the boil and thicken with corn starch that has been dissolved in a small amount of cold water. Cook for a few minutes and add beef consommé. Reduce by half on a low heat. Return deboned roast and vegetables to the pot.

Roast of Veal with Creole Sauce

3 to 4 lb (1.5 to 2 kg) rump roast
Butter as needed
Salt and pepper to taste
4 slices bacon
3 Tbs. (45 mL) fat rendered from roast
$^1/_4$ cup (60 mL) minced onion
1 clove garlic, slivered
1 Tbs. (15 mL) flour
2 cups (500 mL) canned tomatoes
$^1/_2$ cup (125 mL) sliced mushrooms
$^1/_2$ tsp. (2 mL) salt
$^1/_8$ tsp. (0.5 mL) pepper
1 tsp. (5 mL) sugar
1 Tbsp. (15 mL) chopped parsley

Selector position: [✗]
Rack position: 1

Melt butter in a frying pan and brown roast, then add seasonings. Place roast on a roasting pan and lay slices of bacon across the top. Cover and bake at 325°F (162°C) on rack position 1 for 45 to 50 minutes per pound (500 g). If desired, uncover for the last 30 minutes. Slice and serve with the following sauce: heat the fat from the roast and add onion and garlic. Heat vegetables until tender, add flour, tomatoes, mushrooms, salt, pepper and sugar. Cook until thick and add parsley.

Veal Cubes

$^1/_4$ to $^1/_2$ cup (60 to 80 mL) oil
2 lb (1 kg) 1-inch (2.5 cm) veal cubes
1 cup (125 mL) onion, sliced
1 cup (125 mL) celery, chopped
1 clove garlic, slivered
$^1/_2$ cup (125 mL) dry white wine
1 cup (125 mL) tomato sauce
2 bay leaves
$^1/_2$ tsp. (2 mL) dried oregano
$^1/_4$ tsp. (1 mL) dried rosemary
1 tsp. (5 mL) salt
$^1/_2$ tsp. (2 mL) pepper
1 tsp. (5 mL) parsley

Selector position: ☒
Rack position: 1

Heat oil in roasting pan. Add veal cubes and sauté until brown all over. Remove meat and fry onion, celery and garlic until golden, stirring often. Pour in white wine, and add tomato sauce, bay leaves, oregano, rosemary, salt, pepper, parsley and veal. Bring to the boil. Cover and bake at 325°F (162°C) for 50 to 60 minutes. Remove the bay leaves and serve.

Chapter ten

Fish and Sea-food

- *Fish Fillets with Tomato Sauce*
- *Stuffed Fillets of Sole*
- *Salmon Pie*
- *Oven Broiled Fish*
- *Stuffed Trout*
- *Shrimp Casserole*
- *Broiled Shrimps*
- *Oysters in their Shells*
- *Prawns Deluxe*

Fish Fillets with Tomato Sauce

1 lb (500 g) fish fillets
$^1/_2$ tsp. (2 mL) garlic salt (optional)
4 Tbs. (60 mL) butter
2 Tbs. (30 mL) onion, finely chopped
1-7$^1/_2$ oz (213 mL) can tomato sauce
$^1/_4$ cup (60 mL) water
$^1/_2$ tsp. (2 mL) salt
$^1/_4$ tsp. (1 mL) pepper
$^1/_8$ tsp. (0.5 mL) sage
1 bay leaf
Parsley to taste

Selector position: ☒
Rack position: 2

Place fillets in an 8-inch (20 cm) square baking dish. Sprinkle with garlic salt. Melt butter and fry onions lightly, then add all the remaining ingredients except the parsley. Pour sauce over fish and sprinkle with parsley.

Bake at 350°F (180°C) on rack position 2 for 20 to 25 minutes. Serve on a bed of rice.

Stuffed Fillets of Sole

1 lb (500 g) fillets of sole
$^1/_4$ cup (60 mL) cucumber, grated and drained
$^1/_4$ cup (60 mL) bread crumbs
$^1/_8$ tsp. (0.5 mL) Worcestershire sauce
Milk as needed
Flour as needed
2 Tbs. (30 mL) butter
2 cups (500 mL) onions, sliced
Salt and pepper to taste
2 Tbs. (30 mL) melted butter
1-10 oz (284 mL) can cream of celery soup
$^1/_2$ cup (125 mL) milk
3 Tbs. (45 mL) Parmesan cheese

Selector position: ✖ 🔥
Rack position: 2

Dry the fillets of sole carefully. Combine cucumber, bread crumbs and Worcestershire sauce. Moisten with a little milk. Divide the mixture among fillets. Roll and attach each one with a tooth pick. Sprinkle with flour. Fry onions in butter, salt and pepper. Place in an 8-inch (20 cm) square baking dish and lay fillets on top of onions. Brush with melted butter. Bake at 350°F (180°C) on rack position 2 for 15 minutes. Remove tooth picks and bring sauce made of cream of celery soup and milk to a boil before pouring over fillets. Sprinkle with Parmesan cheese and continue baking for approximately 5 minutes. Select broil, and brown.

Garnish with parsley.

Salmon Pie

2 pie shells (9 or 10"/23 or 25 cm), uncooked
2 to 3 cups (500 to 750 mL) mashed potatoes
1 Tbs. (15 mL) butter
1 minced onion
$^1/_4$ cup (60 mL) minced celery
Salt and pepper to taste
1-15$^1/_2$ oz (439 g) can of salmon
$^1/_2$ Tbs. (7.5 mL) butter

Selector position: ☒
Rack position: 2

Preheat oven to 375°F (190°C).

Fry onions and celery in butter and add to mashed potatoes. Salt and pepper mixture, then add butter and salmon (drained and broken into pieces). Place mixture into a 9" or 10" (23 cm or 25 cm) pie shell. Cover with upper crust and bake at 375°F (190°C) on rack position 2 for approximately 30 to 35 minutes.

Serve with an egg sauce or a white sauce.

N.B.: When mashing potatoes, don't add milk; just a little butter.

Oven Broiled Fish

4 fish fillets (1 lb/500 g)
2 Tbs. (20 mL) lemon juice
2 Tbs. (30 mL) parsley, chopped
2 Tbs. (30 mL) oil
$^1/_2$ tsp. (2 mL) salt

Selector position:
Rack position: 4

Preheat oven to 550°F (288°C) on broil.

Place fish fillets on the rack of the roasting pan.

Sprinkle fillets with lemon juice. Brush with oil and season with salt and then sprinkle with chopped parsley. Cook at 550°F (288°C) for about 4 to 6 minutes, depending on thickness of fillets.

Stuffed Trout

2 trout (about $^1/_2$ lb/250 g each)

Stuffing:

1 Tbs. (15 mL) butter
$^1/_4$ cup (60 mL) minced celery
1 Tbs. (15 mL) minced onion
$^1/_4$ cup (60 mL) chopped mushrooms
Salt and pepper to taste
1 Tbs. (15 mL) lemon juice
1 Tbs. (15 mL) melted butter

Selector position: ✖
Rack position: 3

Melt butter, add celery, onion and mushrooms. Cook vegetables until tender. Season with salt and pepper. Prepare inside of trout by brushing it with lemon juice and seasonings. Stuff trout and brush with melted butter. Place on the rack of the roasting pan. Bake at 400°F (200°C) for 15 to 20 minutes.

Shrimp Casserole

1 Tbs. (15 mL) butter
5 to 7 large mushrooms, sliced
1 cup (250 mL) cooked shrimps
$1^1/_2$ cups (375 mL) white rice, cooked
1 to $1^1/_2$ cups (250 to 375 mL) grated Cheddar cheese
$^1/_2$ cup (125 mL) milk
$^1/_4$ cup (60 mL) ketchup
$^1/_2$ tsp. (2 mL) Worcestershire sauce
$^1/_2$ tsp. (2 mL) salt

Selector position:
Rack position: 2

Melt butter, add mushrooms and cook for 4 to 5 minutes. Carefully combine remaining ingredients and add to mushrooms. Pour into a baking dish and bake at 325°F (162°C) on rack position 2 for 20 to 25 minutes.

Broiled Shrimps

2 lb (1 kg) large shrimps, raw
$^1/_3$ cup (80 mL) olive oil
$^1/_4$ tsp. (1 mL) pepper
$^1/_2$ tsp. (2 mL) salt
2 Tbs. (30 mL) parsley, finely chopped
$^1/_8$ tsp. (0.5 mL) tarragon
$^1/_4$ cup (60 mL) butter
3 Tbs. (45 mL) lemon juice

Selector position:
Rack position: 3 or 4

Preheat oven to 550°F (288°C).

Shell and clean shrimps. In a small dish mix together well olive oil, salt, pepper, parsley and tarragon. Dredge shrimps with this mixture and place on a cookie sheet. Bake at 550°F (288°C) on rack position 4 for 2 to 3 minutes each side or until they are just done. Place on a warm serving dish. Heat butter and lemon juice, then add cooking juices from shrimps. Heat well and pour over shrimps. Serve immediately on rice.

N.B.: Shrimps may also be cooked on the roasting pan rack, on rack position 3.

Oysters in their Shells

12 oysters
$^1/_4$ cup (60 mL) butter
2 Tbs. (30 mL) onion
1 tsp. (5 mL) parsley, finely chopped
1 tsp. (5 mL) lemon juice
$^1/_4$ cup (60 mL) bread crumbs
$^1/_4$ cup (60 mL) bacon, cooked and crumbled
$^1/_2$ cup (125 mL) mild Cheddar cheese, grated

Selector position:
Rack position: 3

Preheat oven to 550°F (288°C).

Scrub oysters under cold water. Open them and cut the shell muscle (take care not to lose any liquid). Throw away the top shell. Place oysters on the rack of the roasting pan. Melt butter and sauté onion. Add parsley and lemon juice. Spread this mixture evenly over the oysters. Combine bread crumbs, bacon and cheese and divide up among oysters. Bake at 550°F (288°C) on rack position 3 for 1 to 3 minutes, until oysters are lightly browned.

Prawns Deluxe

24 prawns
Melted butter as needed
1 to 2 cloves garlic, minced
Bread crumbs as needed
Paprika to taste

Selector position: [image of oven icon]
Rack position: 3

Preheat oven to 550°F (288°C).

Cut prawns along the back lengthwise.

Open them and brush with garlic butter. Sprinkle with bread crumbs and paprika. Place on the rack of the roasting pan. Bake at 550°F (288°C) on rack position 3 for 5 to 10 minutes.

Chapter eleven

Cakes

- *Angel Cake*
- *Black Forest Cake*
- *Queen Elizabeth Cake*
- *Surprise Cake*
- *Quick and Easy Cake*
- *Jos-Louis*
- *Spiced Honey Bread*

Cooking Chart: DESSERTS

Dessert	Size of baking dish	Rack position	Oven temperature preheated	Cooking method	Approximate cooking time
Cakes	8''-9'' round pan (20 cm - 23 cm)	2	325°F (162°C)	☒	35-40 min.
	8''-9'' square pan (20 cm - 23 cm)	2	325°F (162°C)	☒	40-45 min.
	9'' x 13'' rectangular pan (23 cm x 33 cm)	2	325°F (162°C)	☒	50-55 min.
	loaf pan	2	325°F (162°C)	☒	50-55 min.
	tube pan	2	325°F (162°C)	☒	50-55 min.
Pies* (8'' - 9'') (20 cm - 23 cm)	double-crust	2	375°F (190°C)	☒	30-40 min.
	single-crust with filling	2	325-350°F (162-180°C)	☒	30-40 min.
	single-crust without filling	2	400°F (200°C)	☒	10-12 min.
Muffins	8 tin pan	2	375°F (190°C)	☒	15-20 min.
Cookies	cookie sheet	3	375°F (190°C)	☒	10 min.

N.B.: The data given in this chart have been tested with the recipes in the book.

* Because of the heat circulation in the oven, it is not necessary to bake pies at two different temperatures as in conventional cooking. The time may vary, depending on the filling we use.

110

Angel Cake

8 egg whites
1 tsp. (5 mL) cream of tartar
A pinch of salt
1¹/₂ cups (375 mL) sugar
1 tsp. (5 mL) vanilla
1 cup (250 mL) sifted flour

Selector position:
Rack position: 2

Preheat oven to 325°F (162°C).

Beat egg whites with cream of tartar and salt until foamy with firm peaks. Gradually stir in sugar and vanilla. Gently fold flour into meringue mixture with a spatula. Pour into an ungreased tube pan. Bake at 325°F (162°C) on rack position 2 for 50 to 55 minutes. Remove from oven, turn pan upside down and cool without removing the pan. Cut with a serrated knife when ready to serve.

111

Black Forest Cake

3 oz (90 g) unsweetened chocolate
$^1/_2$ cup (125 mL) butter
2 cups (500 mL) brown sugar
2 eggs, beaten
2 cups (500 mL) flour
1 tsp. (5 mL) baking soda
1 cup (250 mL) milk
$1^1/_2$ tsp. (7 mL) vanilla

Topping:

1-28 oz (796 mL) can cherry pie filling
2 cups (500 mL) whipped cream
Kirsch to taste
Grated chocolate as needed
Cherries as needed

Selector position: ☒
Rack position: 2

Preheat oven to 325°F (162°C).
Melt chocolate in a double broiler. Cream butter and gradually add brown sugar and beaten eggs. Sift together flour and baking soda. Add dry ingredients and milk alternately to first mixture. Add vanilla. Bake in two 9-inch (23 cm) square cake pans at 325°F (162°C) on rack position 2 for 35 to 40 minutes.
Remove from pans and cool.

Queen Elizabeth Cake

$^3/_4$ cup (180 mL) dates
$^3/_4$ cup (180 mL) water
1 egg
1 cup (250 mL) sugar
$^3/_4$ cup (180 mL) vegetable oil
1$^1/_2$ tsp. (7 mL) vanilla
1$^1/_2$ cups (375 mL) flour
1 tsp. (5 mL) baking powder
$^1/_2$ tsp. (2 mL) baking soda
$^1/_2$ tsp. (2 mL) salt

Selector position: ☒
Rack position: 2

Preheat oven to 325°F (162°C).
Soak dates in water and cook for several minutes. Beat egg, then add sugar, oil and vanilla. Sift together the flour, baking soda, powder and salt. Stir dry ingredients and dates with water alternately into egg mixture. Pour into a rectangular cake pan. Bake at 325°F (162°C) on rack position 2 for 50 to 55 minutes.

Icing:

3 Tbs. (45 mL) butter
1$^1/_2$ cups (375 mL) brown sugar
$^1/_2$ cup (125 mL) chopped nuts
$^1/_2$ cup (125 mL) grated coconut
$^1/_4$ cup (60 mL) table cream (15 %)

Melt butter. Combine all ingredients with the table cream and stir until mixture becomes smooth and fairly clear. Pour over the cooked cake, return to oven and grill, selecting broil.

Surprise Cake

2 Tbs. (30 mL) butter
$^3/_4$ cup (180 mL) sugar
3 egg yolks
1$^1/_2$ cups (375 mL) flour
2$^1/_2$ tsp. (12 mL) baking powder
$^2/_3$ cup (170 mL) milk
3 egg whites
2 cups (500 mL) brown sugar
$^1/_3$ cup (80 mL) grated coconut

Selector position: ☒
Rack position: 2

Preheat oven to 325°F (162°C).

Cream butter, then add sugar and egg yolks. Sift together flour and baking powder. Stir dry ingredients and milk alternately into creamed mixture. Pour into a square baking dish. Beat egg whites. Add brown sugar and spread over cake dough. Cover with coconut. Bake at 325°F (162°C) on rack position 2 for 40 to 45 minutes.

Quick and Easy Cake

$^1/_3$ cup (80 mL) oil
2 squares unsweetened chocolate
$^3/_4$ cup (180 mL) water
1 cup (250 mL) sugar
1 egg, beaten
1$^1/_2$ tsp. (7 mL) vanilla
1$^1/_4$ cups (310 mL) flour
$^1/_2$ tsp. (2 mL) baking soda
$^1/_2$ tsp. (2 mL) salt
6 oz (180 g) chocolate chips
$^1/_3$ cup (80 mL) nuts
Candied cherries, chopped (green and/or red), to taste

Selector position: ⊠
Rack position: 2

Preheat oven to 325°F (162°C).

Heat oil and chocolate. Add water, sugar, beaten egg and vanilla. Sift together dry ingredients and add to mixture. Stir until smooth and creamy. Spread out well in a square baking pan. Sprinkle with chololate chips, nuts and cherries. Bake at 325°F (162°C) on rack position 2 for 40 to 45 minutes.

Jos-Louis

$^1/_2$ cup (125 mL) shortening
1 cup (250 mL) sugar
2 eggs
1 cup (250 mL) milk
1 tsp. (5 mL) vanilla
$1^3/_4$ cups (440 mL) flour
2 tsp. (10 mL) baking powder
1 tsp. (5 mL) baking soda
1 tsp. (5 mL) salt
3 Tbs. (45 mL) cocoa

Selector position:
Rack position: 2

Preheat oven to 350°F (180°C).
Cream shortening and sugar together. Mix well. Add beaten eggs. Combine milk and vanilla. Combine dry ingredients and add to the first mixture alternately with milk. Stir well. Place by spoonfuls on 2 greased cookie sheets. Gently spread out the mixture. Bake at 350°F (180°C) on rack position 2 for 8 to 10 minutes. Allow to cool and cut horizontally through the centre.

Filling for cake centres:

$^1/_2$ cup (125 mL) shortening
2 cups (500 mL) icing sugar
$^1/_4$ cup (60 mL) evaporated milk

Cream shortening, then add icing sugar and evaporated milk alternately. Mix well.
Spread each cake half with filling, then cover with the other half.

116

Icing:

$^1/_4$ **cup (60 mL) butter**
3 Tbs. (45 mL) cocoa
1$^1/_2$ to 2 cups (375 to 500 mL) icing sugar
2 to 3 Tbs. (30 to 45 mL) warm water
$^1/_2$ tsp. (2 mL) vanilla

Melt butter on a low heat. Remove from heat and add cocoa. Mix well. Stir in icing sugar, alternately with warm water and vanilla.

Pour over cakes.

Spiced Honey Bread

$1/3$ cup (80 mL) milk
$2/3$ cup (160 mL) brown sugar
$1^3/4$ cups (430 mL) flour
$1^1/4$ tsp. (6 mL) baking powder
$1/2$ tsp. (2 mL) ground cinnamon
$1/2$ tsp. (2 mL) ground nutmeg
$1/8$ tsp. (0.5 mL) ground cloves
2 eggs, beaten
$1/3$ cup (80 mL) oil
$1/2$ cup (125 mL) honey
$1/3$ to $1/2$ cup (80 to 125 mL) icing sugar
1 to 2 tsp. (5 to 10 mL) milk

Selector position: ☒
Rack position: 2

Preheat oven to 325°F (162°C).

Combine milk and brown sugar in a pot and cook on a low heat, stirring to melt brown sugar. Sift together flour, baking powder, cinnamon, nutmeg and cloves. Beat the eggs, then add oil and honey. Add dry ingredients and milk and brown sugar alternately to this mixture. Pour into a greased, floured 8" x 4" x 2" (20 cm x 10 cm x 5 cm) loaf pan. Bake at 325°F (162°C) on rack position 2 for 55 to 60 minutes.

Cover with aluminum foil for the last 15 minutes.

Icing:

Combine icing sugar and milk and spread over bread.

Chapter twelve

Muffins

- *Orange Muffins*
- *Peanut Butter Muffins*
- *Oatmeal and Blueberry Muffins*
- *Banana Bran Muffins*
- *Raisin Bran Muffins*

Orange Muffins

2 cups (500 mL) flour
2 tsp. (10 mL) baking powder
1 tsp. (5 mL) salt
$1/4$ tsp. (1 mL) baking soda
$1/2$ cup (125 mL) sugar
1 tsp. (5 mL) grated orange peel
$2/3$ cup (160 mL) orange juice
$1/2$ cup (125 mL) melted butter
1 tsp. (5 mL) vanilla
2 eggs, beaten
$1/2$ cup (125 mL) chopped nuts
1 Tbs. (15 mL) flour
$1/4$ cup (60 mL) brown sugar
$1/2$ tsp. (2 mL) ground cinnamon
1 Tbs. (15 mL) melted butter

Selector position: ☒
Rack position: 2

Preheat oven to 375°F (190°C).

Combine flour, baking powder, baking soda and salt. Add sugar and grated orange peel. Combine orange juice, melted butter, beaten eggs, vanilla and nuts. Add to dry ingredients all at once. Stir, using a fork, until mixture is smooth. Place cupcake liners in 2 pans of 8-muffin tins. Divide dough among tins. Combine flour, brown sugar, cinnamon and melted butter. Sprinkle muffins with this mixture. Bake at 375°F (190°C) on rack position 2 for 15 to 20 minutes.

Makes 16 muffins.

Peanut Butter Muffins

1 cup (250 mL) whole wheat flour
1 cup (250 mL) white flour
2 tsp. (10 mL) baking powder
1 tsp. (5 mL) baking soda
$^1/_4$ tsp. (1 mL) salt
2 eggs, beaten
$^1/_2$ cup (125 mL) liquid honey
$^1/_4$ cup (60 mL) oil
1 cup (250 mL) sour milk
1 cup (250 mL) peanut butter
$1^1/_2$ tsp. (7 mL) vanilla

Selector position: ☒
Rack position: 2

Preheat oven to 375°F (190°C).

Combine whole wheat flour, white flour, baking powder, baking soda and salt. Beat eggs and add honey, oil, sour milk, peanut butter and vanilla. Add all at once to the dry ingredients. Stir with a fork until mixture becomes smooth. Fill two 8-tin muffin pans with cupcake liners. Divide dough among them. Bake on rack position 2 at 375°F (190°C) for 15 to 20 minutes.

Makes 16 muffins.

Oatmeal and Blueberry Muffins

1 cup (250 mL) rolled oats
1 cup (250 mL) sour milk
1 cup (250 mL) flour
1 tsp. (5 mL) baking powder
$^1/_2$ tsp. (2 mL) soda
$^1/_2$ tsp. (2 mL) salt
1 cup (250 mL) brown sugar, lightly packed
1 egg, beaten
$^1/_4$ cup (60 mL) melted butter
1 cup (250 mL) blueberries (whortleberries)

Selector position:
Rack position: 2

Preheat oven to 375°F (190°C).
Combine rolled oats and milk, and set aside. Combine flour, baking powder, baking soda and salt. Add brown sugar. Stir beaten egg and melted butter into rolled oat mixture. Add to the dry ingredients. Add to the dry ingredients, stirring with a fork. Add blueberries carefully. Fill two 8-tin muffin pans with cupcake liners. Divide the dough among them. Bake at 375°F (190°C) on rack position 2 for 15 to 20 minutes.

Makes 16 muffins.

N.B.: Do not defrost the blueberries before using them to avoid staining the dough.

Banana Bran Muffins

1^1/$_4$ cups (310 mL) flour
^{1}/$_2$ cup (125 mL) bran
^{1}/$_3$ cup (80 mL) wheat germ
1 tsp. (5 mL) baking powder
1 tsp. (5 mL) baking soda
A pinch of salt
^{1}/$_2$ cup (125 mL) brown sugar
1 egg
^{2}/$_3$ cup (160 mL) mashed bananas
^{1}/$_2$ cup (125 mL) sour milk
1^1/$_2$ Tbs. (22 mL) molasses
^{1}/$_2$ cup (125 mL) raisins
1 cup (250 mL) chopped nuts

Selector position: ☒
Rack position: 2

Preheat oven to 375°F (190°C).

Combine flour, bran, wheat germ, baking powder, baking soda, salt and brown sugar. Beat the egg and add mashed bananas, sour milk and molasses. Add to dry ingredients, stirring with a fork. Add nuts and raisins. Fill two 8-tin muffin pans with cupcake liners. Divide the dough among them. Bake at 375°F (190°C) on rack position 2 for 14 to 16 minutes.

Makes 16 muffins.

Raisin Bran Muffins

1¹/₄ cup (310 mL) flour
1 tsp. (5 mL) baking soda
1 tsp. (5 mL) salt
1²/₃ cup (410 mL) bran
1 cup (250 mL) raisins
1 cup (250 mL) milk
¹/₂ cup (125 mL) molasses
1 egg, beaten

Selector position:
Rack position: 2

Preheat oven to 375°F (190°C).

Sift together flour, baking soda and salt. Combine raisins and bran. Add to the first mixture. Combine milk, molasses and beaten egg. Add all at once to the dry ingredients. Stir with a fork until mixture becomes smooth. Fill two 8-tin muffin pans with cupcake liners. Divide the dough among them. Bake at 375°F (190°C) on rack position 2 for 15 to 20 minutes.

Makes 16 muffins.

Chapter thirteen

Pies

- *Blueberry (Whortleberry) Pie*
- *Strawberry Pie*
- *Special Apple Pie*
- *Traditional Apple Pie*
- *Sugar Pie*
- *Incredible Coconut Pie*
- *Chocolate Cream Pie*

Blueberry (Whortleberry) Pie

2 pie shells (9"/23 cm), uncooked
2$^1/_2$ to 3 cups (625 to 750 mL) fresh or defrosted blueberries, drained
1 tsp. (5 mL) lemon juice
$^3/_4$ cup (180 mL) sugar
3 Tbs. (45 mL) flour
A pinch of ground cinnamon
A pinch of ground nutmeg
A pinch of ground cloves
3 to 4 knobs of butter

Selector position:
Rack position: 2

Preheat oven to 375°F (190°C).

Place blueberries in a bowl and sprinkle with lemon juice. Combine remaining ingredients (except the butter), add to blueberries and mix well. Place in a 9-inch (23 cm) floured pastry shell. Dot with butter and cover with top crust. Bake, selecting combination, at 375°F (190°C) on rack position 2 for 30 to 35 minutes.

Strawberry Pie

2 pie shells (9"/23 cm), uncooked
2$^1/_2$ to 3 cups (625 to 750 mL) fresh or defrosted strawberries
$^3/_4$ cup (180 mL) sugar
2 Tbs. (30 mL) flour
1 tsp. (5 mL) grated orange peel

Selector position: ☒
Rack position: 2

Preheat oven to 375°F (190°C).

Combine sugar, flour and grated orange peel. Add to straw-berries. Place in a 9-inch (23 cm) floured pie shell. Cover with top crust. Bake at 375°F (190°C) on rack position 2 for 30 to 35 minutes.

Special Apple Pie

Pastry for a single pie crust
2 to 3 cups (500 to 750 mL) diced apples
1-1/4 oz. (7 g) package gelatin
1/2 cup (125 mL) water
1/4 cup (60 mL) orange juice
1 Tbs. (15 mL) corn starch
1/3 cup (80 mL) apricot jelly
2 tsp. (10 mL) grated orange peel
Whipped cream as needed

Selector position: ☒
Rack position: 1

Preheat oven to 400°F (200°C).

Place pastry in a 9-inch (23 cm) pie pan. Prick with a fork and bake at 400°F (200°C) for 10 to 12 minutes. Set aside before filling.

Cook apples in a little water at a low heat until they are soft. Add gelatin and water. Allow to cool. Pour into baked pastry shell. Melt apricot jelly, add orange juice, grated peel and corn starch. Cook, stirring until thick, then pour over apples. Garnish with whipped cream, if desired.

Traditional Apple Pie

2 pie shells (9"/23 cm), uncooked
4 cups (1 L) apples, peeled and sliced
$^1/_4$ cup (60 mL) white sugar
$^1/_4$ cup (60 mL) brown sugar
3 to 4 knobs of butter

Selector position: ☒
Rack position: 2

Preheat oven to 375°F (190°C).

Peel and slice apples. Combine white and brown sugar and add to sliced apples. Place in a 9-inch (23 cm) floured pie shell. Dot with butter and cover with top crust. Bake at 375°F (190°C) on rack position 2 for 30 to 35 minutes.

Sugar Pie

2 pie shells (9"/23 cm), uncooked
1 cup (250 mL) brown sugar
1 Tbs. (15 mL) flour
1 egg, beaten
$^1/_2$ cup (125 mL) warm milk
1 Tbs. (15 mL) butter
$^1/_2$ tsp. (2 mL) vanilla

Selector position: ☒
Rack position: 2

Preheat oven to 325°F (162°C).

Warm the milk and butter together. Remove from heat, add vanilla and beaten egg. Combine brown sugar and flour. Pour first mixture onto the dry ingredients and mix well. Place in a 9-inch (23 cm) uncooked floured pie shell. Bake at 325°F (162°C) on rack position 2 for 30 to 35 minutes.

Incredible Coconut Pie

1 cup (250 mL) eggs
$^1/_2$ cup (125 mL) wheat flour
$^1/_4$ tsp. (1 mL) salt
1$^1/_4$ cups (310 mL) grated coconut
2 cups (500 mL) milk
$^1/_4$ cup (60 mL) butter
1 cup (250 mL) brown sugar
$^1/_2$ tsp. (2 mL) baking powder
2 tsp. (10 mL) vanilla
Whipped cream as needed
Cherries as needed

Selector position: ☒
Rack position: 1 or 2

Preheat oven to 325°F (162°C).
Place all ingredients in a blender and blend well. Butter a round 10" x 2" (25 cm x 5 cm) pyrex dish and pour mixture into it. Bake at 325°F (162°C) on rack position 1 or 2 for 50 to 60 minutes or until firm in the middle. Top with whipped cream and cherries.

N.B.: It is very important to use a pie plate that is at least 2 inches (5 cm) deep so the filling doesn't run over the top.

Chocolate Cream Pie

1 pie shell (9"/23 cm), uncooked
$^1/_4$ cup (60 mL) cocoa
3 Tbs. (45 mL) corn starch
$^1/_2$ cup (125 mL) sugar
$1^1/_2$ cups (375 mL) milk
$1^1/_2$ Tbs. (22 mL) butter
1 tsp. (5 mL) vanilla

Topping:

Crushed nuts as needed

Selector position: ☒
Rack position: 1

Preheat oven to 400°F (200°C).

Bake pie crust at 400°F (200°C) on rack position 1 for 10 to 12 minutes.

Combine cocoa, corn starch and sugar. Pour in milk, stirring well. Cook at a low heat, stirring until thick. Add butter and vanilla. Allow to cool and pour into cooked pastry shell. Top with crushed nuts. Refrigerate until serving time.

Chapter fourteen

Cookies

- *Marmalade or Jam Cookies*
- *Molasses Cookies*
- *Orange Cookies*
- *Chocolate Chip Cookies*
- *Apple and Nut Cookies*

Marmalade or Jam Cookies

$1/4$ cup (60 mL) butter or margarine
$1/2$ cup (125 mL) sugar
1 egg
$1/2$ tsp. (2 mL) vanilla
$1/2$ cup (125 mL) orange marmalade, apple jelly, jam, etc.
$1^1/2$ cups (375 mL) flour
$1/4$ tsp. (1 mL) baking soda

Selector position: ☒
Rack position: 3

Preheat oven to 375°F (190°C).
Cream butter, add sugar, egg, vanilla, marmalade and flour mixed with baking soda. Mix everything together well. Drop on a cookie sheet by small spoonfuls. Bake at 375°F (190°C) on rack 3 for 12 to 14 minutes.

Molasses Cookies

3/4 cup (180 mL) vegetable shortening
3/4 cup (180 mL) brown sugar
1 egg
3/4 cup (180 mL) molasses
3/4 cup (180 mL) milk
3 1/2 cups (875 mL) flour
1 tsp. (5 mL) baking powder
1 tsp. (5 mL) baking soda
1 tsp. (5 mL) salt
1/2 tsp. (2 mL) ground cinnamon
1/2 tsp. (2 mL) ground ginger
1/2 tsp. (2 mL) ground cloves

Selector position: ☒
Rack position: 3

Preheat oven to 375°F (190°C).

Cream shortening and brown sugar together. Add egg and mix in well. Add milk and molasses. Sift together flour, baking powder, baking soda, salt, cinnamon, ginger and cloves. Mix well. Combine wet and dry ingredients stirring well. Form into balls and flatten lightly with a fork. Place on a greased cookie sheet and bake at 375°F (190°C) on rack 3 for 10 to 12 minutes.

Orange Cookies

1 egg
1 cup (250 mL) sugar
$^1/_2$ cup (125 mL) butter
4 Tbs. (60 mL) orange juice
2 Tbs. (30 mL) cold water
$2^1/_2$ cups (625 mL) or more flour*
3 tsp. (15 mL) baking powder
$^1/_4$ tsp. (1 mL) salt
Egg white as needed
Orange peel as needed

Selector position: ☒
Rack position: 3

Preheat oven to 375°F (190°C).

Beat egg, add sugar little by little and creamed butter. Sift together flour, salt and baking powder. Add flour, orange juice and water alternately to creamed mixture. Roll out dough to a thickness of $^1/_4$ inch (0.6 cm). Cut with a cookie cutter. Brush the top of each cookie with a little egg white and sprinkle with grated orange peel. Bake at 375°F (190°C) on rack position 3 for 10 to 12 minutes.

Makes 4 to 5 dozen cookies depending on the size of the cookie cutter.

---

* Dough must pull away easily from the sides of the bowl before it is ready to be rolled out.

Chocolate Chip Cookies

$^1/_2$ cup (125 mL) vegetable shortening
$^1/_2$ cup (125 mL) white sugar
$^1/_4$ cup (60 mL) brown sugar
1 egg, beaten
1 cup (250 mL) flour
$^1/_2$ tsp. (2 mL) baking soda
$^1/_4$ tsp. (1 mL) salt
$^1/_2$ to $^3/_4$ cup (125 to 180 mL) chocolate chips

Selector position: ☒
Rack position: 3

Preheat oven to 375°F (190°C).
Cream vegetable shortening and gradually add white sugar, brown sugar and beaten egg. Sift together flour, baking soda and salt. Add to the first mixture and mix well. Stir in chocolate chips. Drop in spoonfuls on a greased cookie sheet. Bake at 375°F (190°C) on rack position 3 for 8 to 10 minutes.

Makes about 3 dozen cookies.

Apple and Nut Cookies

$^3/_4$ cup (180 mL) vegetable shortening
2 cups (500 mL) brown sugar
2 eggs, beaten
3 cups (750 mL) flour
1$^1/_2$ tsp. (7 mL) baking soda
$^1/_2$ tsp. (2 mL) salt
1$^1/_2$ tsp. (7 mL) ground cinnamon
1 tsp. (5 mL) ground cloves
$^3/_4$ tsp. (4 mL) ground nutmeg
$^1/_3$ cup (80 mL) apple juice or milk
1$^1/_4$ cups (310 mL) chopped nuts
1$^1/_2$ cups (375 mL) apples, finely chopped (unpeeled).

Selector position: [✗]
Rack position: 3

Preheat oven to 375°F (190°C).

Cream vegetable shortening. Add brown sugar and eggs. Sift together dry ingredients. Add dry ingredients, nuts, apples and liquids alternately to the creamed mixture. Drop by spoonfuls onto a cookie sheet and bake at 375°F (190°C) on rack position 3 for 10 to 12 minutes.

Makes 4 to 5 dozen, depending on size of cookie.

Recipes index by types

- Boneless Pork Loin Roast, 83
- Pork Chops with Tomatoes, 80
- Pork Tenderloin with Mushrooms, 82
- Pork Tenderloin with Wine, 81
- Roast Pork with Apples, 84
- Spareribs, 85

Veal

- Roast of Veal with Apples, 96
- Roast of Veal with Creole Sauce, 97
- Tarragon Veal Cutlets, 90
- Tenderized Veal Scallops, 93
- Veal Cubes, 98
- Veal Cutlets with Tomatoes, 91
- Veal Loaf with Gravy, 95
- Veal Loin Roast, 94
- Veal Scallops with Ham, 92
- Veal Steaks with Cheese, 89

Fish and sea-foods

- Broiled Shrimps, 106
- Fish Fillets with Tomato Sauce, 100
- Oven Broiled Fish, 103
- Oysters in their Shells, 107
- Prawns Deluxe, 108
- Salmon Pie, 102
- Shrimp Casserole, 105
- Stuffed Fillets of Sole, 101
- Stuffed Trout, 104

Cakes

- Angel Cake, 111
- Black Forest Cake, 112
- Jos-Louis, 116
- Queen Elizabeth Cake, 113
- Quick and Easy Cake, 115
- Spiced Honey Bread, 118
- Surprise Cake, 114

Muffins

- Banana Bran Muffins, 123
- Oatmeal and Blueberry Muffins, 122
- Orange Muffins, 120
- Peanut Butter Muffins, 121
- Raisin Bran Muffins, 124

Pies

- Blueberry (Whortleberry) Pie, 126
- Chocolate Cream Pie, 132
- Incredible Coconut Pie, 131
- Special Apple Pie, 128
- Strawberry Pie, 127
- Sugar Pie, 130
- Traditional Apple Pie, 129

Cookies

- Apple and Nut Cookies, 138
- Chocolate Chip Cookies, 137
- Marmalade or Jam Cookies, 134
- Molasses Cookies, 135
- Orange Cookies, 136

Alphabetical recipes index

Table of contents

Printed in Canada
Imprimerie Gagné Ltée

RECETTES POUR LE FOUR À CONVECTION

Données de catalogage avant publication (Canada)

Marchand, Marie-Paul

   Recettes pour le four à convection

   Texte en français et en anglais.
   Titre de la p. de t. addit. tête-bêche: Convection oven cookbook.
   Comprend un index.

   ISBN 2-7619-0770-1

   1. Cuisine au four à convection.   I. Titre.   II. Titre: Convection oven cookbook.

TX840.C65M37   1988   641.5'8   C93-096332-8F

Maquette de la couverture: Katherine Sapon
Photo: Bernard Petit

Nous tenons à remercier tout particulièrement:
Mme Denise Moisan Dorion et son équipe de l'école l'A.B.C. du micro-ondes de
Québec
Mme Aline Vaillancourt de Warwick
la Division des services aux entreprises du Service de la recherche technologique de
l'Institut de Tourisme et d'Hôtellerie du Québec pour leur précieuse collaboration.

MARIE-PAUL MARCHAND est appréciée depuis plusieurs années comme spé-
cialiste de la cuisine aux micro-ondes et de la cuisine à convection. Coauteur des
livres à succès *La Nouvelle Cuisine micro-ondes I* et *II*, elle nous fait maintenant
partager ses toutes dernières découvertes culinaires dans le domaine de la cuisson à
convection.

Bibliothèque nationale du Québec
Dépôt légal: 2ᵉ trimestre 1993

ISBN 2-7619-0770-1

RECETTES POUR LE FOUR À CONVECTION

MARIE-PAUL MARCHAND

LES ÉDITIONS DE L'HOMME*

CANADA: 955, rue Amherst, Montréal H2L 3K4

*Division de Sogides Ltée

Avant-Propos

J'ai décidé d'écrire ce livre afin de permettre au plus grand nombre de personnes possible d'apprendre à utiliser leur cuisinière à convection de façon beaucoup plus efficace et plus rentable. La cuisson à convection est un moyen simple et pratique de profiter intelligemment de l'évolution de la technologie moderne dans notre vie quotidienne. Vous verrez, il n'y a rien de plus simple que de préparer une dinde rôtie, un filet de poisson, des côtelettes de porc, des légumes gratinés et même de succulents desserts lorsqu'on sait bien se servir de son four!

Les avantages de la cuisinière à convection sont innombrables. Elle permet entre autres de réaliser des économies substantielles au moment de faire cuire et rôtir les aliments, et ce grâce à un ventilateur qui véhicule l'air et le garde en mouvement, ce qui assure une répartition uniforme de la chaleur dans le four. Ce mode de fonctionnement vous permettra d'obtenir de meilleurs résultats culinaires pour la cuisson, la décongélation, la déshydratation et le rôtissage des aliments.

La cuisinière à convection est munie d'un sélecteur servant à choisir le mode de cuisson, et d'une commande qui règle la température du four. Pour chacune des recettes présentées dans ce livre, vous trouverez donc l'un des deux pictogrammes suivants qui vous indiquera à quelle position vous devez placer votre sélecteur:

☒ : le ventilateur fait circuler la chaleur produite par l'élément placé sur la paroi arrière du four.

▥ : seul l'élément du haut fonctionne et sert à faire griller les aliments.

5

Sauf en cas d'indication contraire, il n'est pas nécessaire de préchauffer le four avant de faire cuire les aliments. N'oubliez pas de toujours remettre les commandes à la position ARRÊT• une fois la cuisson terminée.

Vous trouverez dans le présent ouvrage, au début des chapitres consacrés aux viandes et aux desserts, un tableau qui vous dira quel est le meilleur temps de cuisson pour le genre de plat que vous désirez préparer. Je crois sincèrement que la cuisinière à convection est un appareil indispensable puisqu'elle nous permet d'économiser à la fois temps et énergie en plus de nous accorder beaucoup de satisfaction dans le domaine culinaire. Et, quel que soit le mets que vous préparez, soyez assuré que sa cuisson sera parfaite, que les ingrédients utilisés offriront tous leur pleine saveur, et que les viandes seront toujours dorées de façon uniforme.

J'espère que ce livre sera pour vous un outil de références utile et qu'il saura vous convaincre définitivement qu'il est facile de réussir n'importe quelle recette avec la cuisinière à convection et, pourquoi pas, de tenter de fantastiques aventures culinaires et gastronomiques.

Bon appétit!

Marie-Paul MARCHAND

Comment Frigidaire
rompt la barrière thermique:

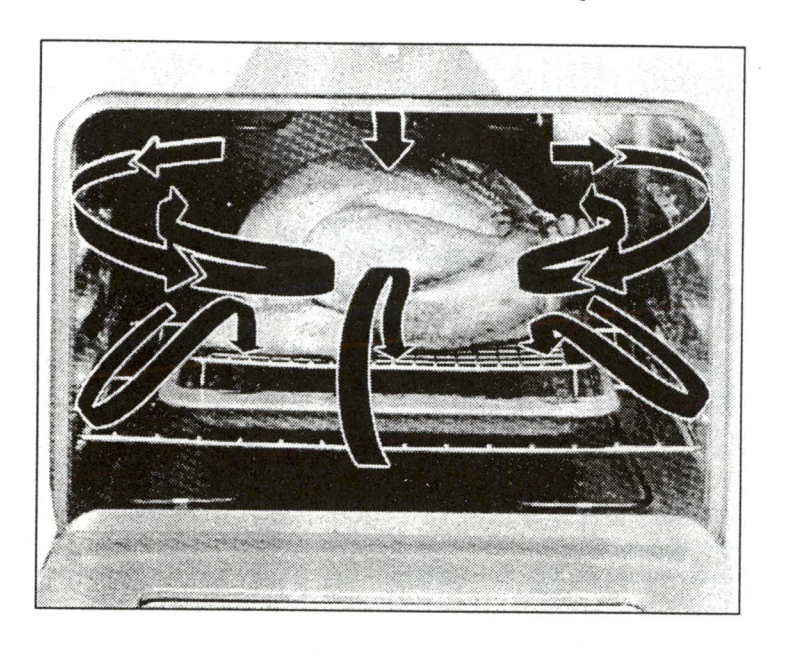

1. L'air à l'intérieur du four est dirigé sur un élément de conception spéciale pour être ensuite renvoyé par un déflecteur dans toutes les parties du four.

2. Les lèchefrites sont munies d'une grille de cuisson unique à bords relevés, permettant au ventilateur de faire circuler l'air chauffé autour de la nourriture et de rompre la barrière thermique.

3. Une fois la barrière thermique chassée, l'air chaud se trouve en contact direct avec la nourriture. Les rôtis retiennent ainsi rapidement saveurs et jus naturels.

7

Des résultats exceptionnels à chaque fois

En cuisson par convection, de l'air chaud circule, ce qui donne des résultats uniformes et parfaits à l'œil. Avec l'air forcé, plus de jus naturels et de saveurs sont emprisonnés, assurant un meilleur goût. Les viandes sont plus juteuses, la volaille est plus croustillante à l'extérieur, tendre et souple à l'intérieur et les pains ont une texture uniforme.

Souplesse totale

L'option de convection est une caractéristique qui s'ajoute aux méthodes traditionnelles de cuisson, gril et rôtissage en four.

Commodité

Le préchauffage n'est pas nécessaire. La cuisson multi-niveaux est possible et la décongélation plus rapide économisera du temps. La cuisson en four par convection peut réduire la durée de cuisson jusqu'à 30 %.

Meilleur contrôle

L'air chaud pénètre la nourriture sous tous les angles, emprisonnant les jus et cuisant de façon uniforme. Des températures de cuisson inférieures signifient une réduction considérable de la diminution de volume de la nourriture, sans temps de cuisson supplémentaire.

Mode d'utilisation de ce livre de recettes

- Les tableaux de cuisson ont été préparés selon les résultats obtenus avec les recettes de ce livre.
- Quand vous utilisez votre four pour la première fois, il est préférable de respecter les temps de cuisson de la recette et d'utiliser les plats de cuisson suggérés.
- Vous remarquerez que les positions du sélecteur et de la grille sont identifiées pour chaque recette.
- Placez les grilles du four avant de l'allumer.
- Il devrait toujours exister un espace de 1 à 1^1/$_2$ po (2,5 à 3,17 cm) entre les parois latérales du four et les plats ou les moules utilisés.
- *Le préchauffage n'est pas nécessaire* pour la plupart des aliments. Préchauffez le four uniquement pour les aliments cuits avec la levure et/ou pour obtenir un dorage plus riche.
- Les plats en pyrex donnent un dorage plus riche et croustillant.
- Lorsque vous faites votre cuisson dans plusieurs plats de cuisson, placez-les aux coins opposés de la grille.
- Si vous utilisez deux grilles pour la cuisson, prenez soin qu'un plat de cuisson ne soit pas caché par un autre.
- Quand vous utilisez les moules à pain ou rectangulaires, il est recommandé de placer ceux-ci dans le sens de la longueur face à vous.
- Les pièces de viande devraient elles aussi être placées de façon à ce qu'elles n'obstruent pas trop le ventilateur; donc, placez la partie la moins large face à vous.
- Évitez d'ouvrir la porte trop souvent durant la cuisson pour éviter une trop grande perte de chaleur.
- Nous avons suggéré la méthode de cuisson qui nous a donné de bons résultats en tenant compte de la durée du temps de cuisson et du résultat final.
- Dans plusieurs cas et selon la texture et la densité de l'aliment, le degré de cuisson qui était habituellement utilisé avec la cuisinière conventionnelle a été diminué de 25°F.

Position des grilles

Position 1: Rôtir les viandes, la volaille.

Position 2: Gâteaux, tartes, poissons, certains plats de viande.

Position 3: La plupart des aliments cuits sur des tôles à biscuits, plats surgelés prêts à cuire.

Position 4: La plupart des grillades.

Note: La position 1 est celle qui est située au plus bas niveau du four.

Déshydratation

- La déshydratation des aliments se fait en utilisant le sélecteur à la position [×] et en réglant la température à 150°F (65°C).
- Points importants dont il faut tenir compte lors de la déshydratation puisqu'ils influencent directement le temps de la déshydratation des aliments, lequel peut varier d'une fois à l'autre:
  1- Le taux d'humidité de l'air.
  2- Le degré d'humidité de l'aliment.
  3- L'épaisseur des tranches ($1/8$ à $1/4$ po) (0,3 à 0,6 cm).

Comment procéder:

- Les fruits devront être déposés dans une solution de jus d'ananas (additionné de miel liquide si désiré).
- Les déposer sur du papier absorbant pour enlever le surplus d'humidité.
- Les légumes devront être tranchés en rondelles tout comme les fruits.
- Déposer les fruits ou les légumes sur la grille ou les grilles du four. (Pour des petites rondelles, utiliser uniquement la grille quadrillée.)
- Déposer une couche de rondelles ainsi préparées sur la ou les grilles en évitant que les rondelles se touchent.
- Laissez la porte ouverte au niveau du point d'arrêt.
- Après le temps minimum de déshydratation, tâtez les rondelles du bout des doigts de temps à autre afin de vous assurer que toute trace d'humidité a disparu.
- À la fin de la déshydratation, les rondelles doivent être fermes et sèches.

Tableau de déshydratation

Aliments	Temps de déshydratation
Pommes	5 à 7 heures
Bananes	5 à 7 heures
Kiwis	5 à 7 heures
Poivron	3 à 5 heures
Oignons	3 à 5 heures
Champignons	3 à 5 heures
Carottes	4 à 6 heures

Naturellement, il existe plusieurs autres fruits et légumes que vous pourrez déshydrater à votre plus grande satisfaction. Ce tableau est seulement un outil de référence qui vous aidera à trouver le temps de déshydratation requis selon la consistance des différents aliments.

Cuisson des viandes et de la volaille

- Les temps de cuisson ont été relevés pour des aliments entièrement décongelés.
- Le préchauffage n'est pas nécessaire.
- Pour le rôtissage à découvert, placez la viande ou la volaille sur la grille de la lèchefrite fournie avec le four.
- Vous pouvez cuire à découvert les pièces les plus tendres, mais il serait bon de surveiller la cuisson pour éviter un séchage en surface. Dès les premiers signes de séchage, il est bon d'utiliser du papier d'aluminium pour les recouvrir.
- Pour obtenir des meilleurs résultats, un thermomètre à viande est l'instrument le plus précis pour vérifier la cuisson des viandes. L'extrémité du thermomètre devrait être enfoncée dans la partie la plus épaisse de la viande en faisant attention de ne pas toucher un os ou du gras. Pour bien s'assurer que la température est atteinte, piquer le thermomètre à un autre endroit et vérifier de nouveau la température.

Utilisation du gril

- Placez la grille du four à la position suggérée dans la recette.
- Placez le sélecteur à GRIL et la température à 550°F (288°C).
- Placez généralement les aliments sur la grille de la lèchefrite fournie avec le four en position 3 ou sur la grille du four en position 4 (suivre les indications de la recette).
- Laissez la porte ouverte au niveau du point d'arrêt lorsque vous placez le sélecteur à GRIL.
- Avant de faire griller, enlevez le surplus de gras. Tailladez un peu pour empêcher que les viandes se retroussent.
- Pour éviter que la surface des poissons ou des viandes maigres ne se dessèche, enduisez-la de beurre fondu.
- Ne retournez les aliments qu'une seule fois.

Chapitre premier

Les entrées
et les hors-d'oeuvre

- *Bombe au crabe*
- *Bouchées aux crevettes*
- *Bouchées aux olives*
- *Chapeaux de champignons farcis*
- *Fondue parmesan*
- *Roulés de saucisse*
- *Roulés de saucisse à la sauce*

Bombe au crabe

Ingrédients	Impérial	Canadien	Européen
Crabe égoutté	1 boîte de 6 oz	1 boîte de 170 g	170 g
Céleri coupé finement	$^1/_3$ tasse	80 mL	45 g
Oeuf à la coque écrasé	1	1	1
Oignon vert haché finement	2	2	2
Mayonnaise	$^1/_3$ tasse	80 mL	80 g
Mozzarella râpée	1 tasse	250 mL	140 g
Pâte à croissants	1 rouleau de 8	1 rouleau de 8	1 rouleau de 8

Position du sélecteur:
Position de la grille: 2

Préchauffer le four à 350°F (180°C).

Mélanger le crabe, le céleri, l'oeuf à la coque, l'oignon vert, la mayonnaise, le fromage mozzarella.

Huiler un moule à muffins. Déposer la pâte à croissants dans chacun des moules. Répartir le mélange également dans chaque moule. Ramener les pointes de pâte vers le centre de façon à recouvrir le mélange.

Cuire à 350°F (180°C) pendant 10 à 12 minutes environ.

Servir avec une sauce blanche, si désiré.

Note: On peut remplacer le crabe par des petites crevettes en conserve, égouttées.

Bouchées aux crevettes

Ingrédients	Impérial	Canadien	Européen
Beurre ramolli	¹/₂ tasse	125 mL	125 g
Farine	1 tasse	250 mL	150 g
Sel	¹/₂ c. à thé	2 mL	¹/₂ c. à café
Paprika	1 c. à thé	5 mL	1 c. à café
Cheddar râpé très finement	¹/₂ lb	250 g	250 g
Tabasco	3 à 4 gouttes	3 à 4 gouttes	3 à 4 gouttes
Crevettes en conserve, égouttées	³/₄ à 1 tasse	175 à 250 mL	165 à 325 g

Position du sélecteur:
Position de la grille: 3

Défaire le beurre en crème. Mélanger la farine, le sel et le paprika. Râper le fromage cheddar très finement. Ajouter au premier mélange. Ajouter le tabasco. Bien mélanger pour en faire une pâte malléable.

Dans le creux de la main, déposer une petite boule de pâte, l'aplatir, y déposer une ou quelques crevettes (selon la grosseur de celles-ci) et enrober de pâte en prenant soin de bien camoufler la ou les crevettes.

Cuire à 450°F (230°C) sur une tôle à biscuits non graissée pendant 12 à 16 minutes environ.

Servir chaud.

Donne 35 bouchées.

Bouchées aux olives

Remplacer les crevettes par des olives farcies égouttées.

Chapeaux de champignons farcis

Ingrédients	Impérial	Canadien	Européen
Champignons frais	24 gros	24 gros	24 gros
Escargots en conserve, égouttés	24	24	24
Beurre à l'ail	quantité suffisante	quantité suffisante	quantité suffisante
Cheddar ou mozzarella râpé très finement	quantité suffisante	quantité suffisante	quantité suffisante

Position du sélecteur:
Position de la grille: 3

Enlever les pieds des champignons. Déposer dans chaque chapeau de champignon un escargot, du beurre à l'ail et du fromage râpé.

Huiler légèrement une tôle à biscuits. Déposer les champignons.

Cuire à 375°F (190°C) pendant 12 à 16 minutes environ.

Servir chaud.

Fondue parmesan

Ingrédients	Impérial	Canadien	Européen
Beurre	4 c. à table	60 mL	60 g
Farine	6 c. à table	90 mL	55 g
Lait	2¹/₂ tasses	625 mL	6,25 cl
Jaune d'oeuf battu	2	2	2
Sel	¹/₂ c. à thé	2 mL	¹/₂ c. à café
Parmesan râpé très finement	2 tasses	500 mL	200 g
Farine	quantité suffisante	quantité suffisante	quantité suffisante
Blanc d'oeuf	2	2	2
Chapelure	quantité suffisante	quantité suffisante	quantité suffisante

Position du sélecteur:
Position de la grille: 3

Fondre le beurre à feu doux. Retirer du feu et ajouter graduellement la farine en fouettant. Remettre sur feu doux et ajouter graduellement le lait en fouettant. Fouetter continuellement jusqu'à ce que la préparation épaississe. (Cette sauce sera très épaisse.) Retirer du feu et ajouter les jaunes d'oeufs battus, le sel et le fromage parmesan râpé finement. Bien remuer pour faire fondre le fromage.

Verser dans un moule légèrement beurré de 10 x 6 po (25 x 15 cm). Laisser tiédir et réfrigérer pendant au moins 8 heures. Couper en carrés de 2 x 2 po (5 x 5 cm). Enfariner, tremper dans le blanc d'oeuf battu à la fourchette et enrober de chapelure.

Déposer sur une tôle non graissée, cuire à 425°F (220°C) pendant 12 à 15 minutes environ ou jusqu'à ce que le dessus soit doré.

Roulés de saucisse

Ingrédients	Impérial	Canadien	Européen
Saucisses fumées	quantité suffisante	quantité suffisante	quantité suffisante
Cheddar	quantité suffisante	quantité suffisante	quantité suffisante
Sauce barbecue	quantité suffisante	quantité suffisante	quantité suffisante
Bacon	1 tranche par saucisse	1 tranche par saucisse	1 tranche par saucisse

Position du sélecteur:
Position de la grille: 2

Couper les saucisses fumées en deux (mais pas entièrement) dans le sens de la longueur. Couper le fromage en lanières et l'insérer dans les saucisses. Y verser environ 1 c. à thé (5 mL) de sauce dans les saucisses. Enrober de bacon* et fixer à l'aide d'un cure-dent. Déposer sur une tôle à biscuits. Cuire à 400°F (200°C) pendant environ 15 à 20 minutes ou jusqu'à ce que le bacon soit cuit.

Couper en morceaux et servir chaud.

Vous pouvez également déposer directement les saucisses sur le gril mais en prenant soin de déposer une tôle à biscuits sur la position 1. Ajouter également un peu d'eau sur la tôle pour éviter un dégagement de fumée.

---

* Bien couvrir le bout des saucisses de bacon pour éviter une surcuisson.

Roulés de saucisse à la sauce

Remplacer la sauce barbecue par la même quantité de sauce à spaghetti ou à lasagne.

Chapitre II

Les oeufs

- *Flan aux oeufs*
- *Pizza aux oeufs surprise*
- *Quiche au jambon*
- *Quiche aux champignons*
- *Quiche aux poireaux et aux oignons*

Flan aux oeufs

Ingrédients	Impérial	Canadien	Européen
Oeufs	4	4	4
Sucre	$^1/_2$ tasse	125 mL	115 g
Sel	$^1/_4$ c. à thé	1 mL	$^1/_4$ c. à café
Vanille	$^1/_2$ c. à thé	2 mL	$^1/_2$ c. à café
Lait frémi	2 tasses	500 mL	0,5 litre
Muscade moulue	$^1/_2$ c. à thé	2 mL	$^1/_2$ c. à café

Position du sélecteur:
Position de la grille: 1

Préchauffer le four à 350°F (180°C).

Battre légèrement les oeufs. Ajouter le sucre, le sel, la muscade et la vanille.

Ajouter un peu de lait frémi. Remuer et ajouter le reste du lait. Verser la préparation dans un moule de 2 pintes (2 litres) ou 8 petits ramequins. Déposer ce ou ces plats dans un plateau contenant 1 tasse (250 mL) d'eau (pour faire comme un bain-marie). Cuire à 350°F (180°C) pendant environ 50 à 60 minutes.

Note: La préparation est cuite lorsque l'on insère un couteau au centre et qu'il en ressort propre.

Pizza aux oeufs surprise

Ingrédients	Impérial	Canadien	Européen
Donne 2 pizzas de 12 po (30 cm)			
Pâte à pain ou à pizza préparée	quantité suffisante	quantité suffisante	quantité suffisante
Oignons en tranches	1	1	1
Champignons hachés	1 tasse	250 mL	90 g
Pâte de tomate	2 c. à table	30 mL	2 c. à soupe
Tomates mûres	2 grosses	2 grosses	2 grosses
Oeufs durs	2	2	2
Huile végétale	2 c. à table	30 mL	2 c. à soupe
Sel	1 c. à thé	5 mL	1 c. à café
Poivre	$1/2$ c. à thé	2 mL	$1/2$ c. à café
Mozzarella râpée	quantité suffisante	quantité suffisante	quantité suffisante
Origan	$1/2$ c. à thé	2 mL	$1/2$ c. à café

Position du sélecteur: ☒
Position de la grille: 3

Préchauffer le four à 400°F (200°C).

Étendre la pâte au rouleau et la déposer dans une assiette à pizza. Couvrir le fond de l'abaisse avec la pâte de tomate, les oignons et les champignons. Recouvrir de tranches de tomate fraîche et de rondelles d'oeuf dur. Arroser d'huile. Saler et poivrer. Garnir de mozzarella râpée. Parsemer d'origan. Cuire à 400°F (200°C) pendant 15 à 18 minutes environ.

Quiche au jambon

Ingrédients	Impérial	Canadien	Européen
Abaisse de tarte de 9 po (23 cm), non cuite	1	1	1
Lait	1 tasse	250 mL	2,5 dl
Fromage à la crème	8 oz	250 g	250 g
Oignon vert haché	$^1/_2$ tasse	125 mL	60 g
Poivron rouge haché	$^1/_2$	$^1/_2$	$^1/_2$
Beurre	1 c. à table	15 mL	1 c. à soupe
Oeufs	4	4	4
Sel et poivre	au goût	au goût	au goût
Jambon cuit en dés	1 tasse	250 mL	190 g
Persil haché	au goût	au goût	au goût

Position du sélecteur:
Position de la grille: 2

Préchauffer le four à 400°F (200°C).

Chauffer le lait et ajouter le fromage. Fondre le beurre, ajouter l'oignon vert haché et le poivron. Cuire jusqu'à tendreté. Battre les oeufs et les ajouter au mélange de lait et de fromage avec le sel et le poivre. Déposer les légumes dans l'abaisse avec le jambon, recouvrir avec la préparation à base d'oeufs, puis saupoudrer de persil haché. Cuire à 400°F (200°C) pendant 30 à 35 minutes environ.

Quiche aux champignons

Ingrédients	Impérial	Canadien	Européen
Abaisse de tarte de 9 po (23 cm), non cuite	1	1	1
Beurre	1 c. à table	15 mL	1 c. à soupe
Champignons tranchés	1 tasse	250 mL	90 g
Oignons verts hachés	1/4 tasse	60 mL	30 g
Oeufs	4	4	4
Crème légère (15 %)	1 tasse	250 mL	2,5 dl
Fromage râpé (au goût)	1 tasse	250 mL	150 g
Sel	au goût	au goût	au goût
Poivre	au goût	au goût	au goût
Basilic séché	1/2 c. à thé	2 mL	1/2 c. à café

Position du sélecteur:
Position de la grille: 2

Préchauffer le four à 400°F (200°C).

Fondre le beurre, ajouter les champignons et l'oignon vert haché. Cuire jusqu'à tendreté. Battre les oeufs et ajouter le fromage, la crème, le sel, le poivre et le basilic. Déposer le premier mélange dans le fond de l'abaisse. Y verser la préparation à base d'oeufs. Cuire à 400°F (200°C) pendant 30 à 35 minutes environ.

Quiche aux poireaux et aux oignons

Ingrédients	Impérial	Canadien	Européen
Abaisse de tarte de 9 po (23 cm), non cuite	1	1	1
Bacon	4 à 6 tranches	4 à 6 tranches	4 à 6 tranches
Poireau haché	1	1	1
Oignon haché	1	1	1
Gousse d'ail émincée	1	1	1
Oeufs	4	4	4
Lait	1$^1/_2$ tasse	375 mL	3,75 dl
Fromage râpé	$^1/_2$ tasse	125 mL	75 g
Sel et poivre	au goût	au goût	au goût
Persil frais haché	au goût	au goût	au goût

Position du sélecteur: ☒
Position de la grille: 2

Préchauffer le four à 400°F (200°C).

Cuire le bacon jusqu'à ce qu'il soit croustillant, égoutter et émietter. Faire revenir le poireau, l'oignon et l'ail dans le gras de bacon. Cuire quelques minutes jusqu'à tendreté. Battre les oeufs. Ajouter le lait et le fromage râpé. Déposer les légumes et le bacon dans l'abaisse. Verser la préparation à base d'oeufs et assaisonner. Cuire à 400°F (200°C) pendant 30 à 35 minutes environ.

Chapitre III

Pains et pâtes

- *Brioches du dimanche*
- *Couronne aux raisins*
- *Pain*
- *Pain de blé entier*
- *Pain à la française*

- *Lasagne*
- *Pizza*
- *Pâté au macaroni et au boeuf*
- *Rigatoni spécial au four*
- *Spaghetti au boeuf et aux tomates*

Pains

Brioches du dimanche

Ingrédients	Impérial	Canadien	Européen
Recette de base de pâte à pain sucrée:			
Lait	1 tasse	250 mL	2,5 dl
Sucre	$^1/_3$ tasse	80 mL	70 g
Sel	2 c. à thé	10 mL	2 c. à café
Shortening	$^1/_2$ tasse	125 mL	90 g
Levure	1 sachet de $^1/_4$ oz	1 sachet de 8 g	8 g
Eau tiède	$^1/_2$ tasse	125 mL	1,25 dl
Sucre	1 c. à thé	5 mL	1 c. à café
Oeuf battu	1	1	1
Farine	2 tasses	500 mL	300 g
Farine	2 à 2$^1/_2$ tasses	500 mL à 625 mL	300 à 380 g

Position du sélecteur:
Position de la grille: 2

Chauffer le lait jusqu'à ébullition. Verser dans un bol et ajouter le sucre, le sel et le shortening. Tourner jusqu'à ce que la graisse soit fondue. Laisser tiédir. Pendant ce temps, mélanger l'eau et le sucre et saupoudrer la levure. Faire gonfler pendant environ 10 minutes. Agiter à la fourchette et verser le lait. Ajouter l'oeuf puis la première partie de la farine en battant d'un mouvement circulaire. Renverser la pâte sur une planche enfarinée et pétrir en ajoutant le reste de la farine pendant environ 5 minutes. Former une boule lisse. Placer dans un bol graissé et badigeonner la surface de graisse. Couvrir d'un linge humide et laisser doubler de volume. Dégonfler la pâte, couper en 2 morceaux et préparer les brioches avec un des morceaux. Utiliser l'autre moitié de la pâte pour faire la couronne aux raisins (page 28) ou congeler pour utilisation ultérieure.

Première opération

Rouler la pâte pour former un rectangle d'environ 9 x 12 po
(23 x 30 cm). Badigeonner de beurre fondu et saupoudrer avec le
mélange suivant:

Ingrédients	Impérial	Canadien	Européen
Sucre	**¹/₃ tasse**	**80 mL**	**70 g**
Cannelle moulue	**2 c. à thé**	**20 mL**	**2 c. à café**
Pacanes hachées	**¹/₂ tasse**	**125 mL**	**60 g**

Rouler sur la longueur comme pour une bûche. Couper en
12 tranches de 1 po (2,5 cm).

Deuxième opération

Mélanger:

Ingrédients	Impérial	Canadien	Européen
Beurre fondu	**¹/₄ tasse**	**60 mL**	**60 g**
Cassonade peu tassée	**¹/₂ tasse**	**125 mL**	**125 g**

Verser dans un moule carré de 8 ou 9 po (20 ou 23 cm) de
côté. Décorer de pacanes et placer les tranches de pâte roulée à
plat sur le mélange.

Troisième opération

Couvrir et laisser doubler de volume (environ 1 heure). Cuire
au four préchauffé à 375°F (190°C) pendant environ 16 à 20 minutes. Démouler immédiatement sur une assiette.

Couronne aux raisins

Ingrédients	Impérial	Canadien	Européen
Utiliser $^1/_2$ recette de pâte à pain sucrée			
Beurre fondu	1 c. à table	15 mL	1 c. à soupe
Cassonade peu tassée	$^1/_4$ tasse	60 mL	60 g
Noix hachées	$^1/_3$ tasse	80 mL	50 g
Raisins secs	$^1/_3$ tasse	80 mL	60 g
Cannelle moulue	$^1/_2$ c. à thé	2 mL	$^1/_2$ c. à thé
Muscade moulue	$^1/_4$ c. à thé	1 mL	$^1/_4$ c. à thé
Glace:			
Sucre glace tamisé	$^3/_4$ tasse	180 mL	110 g
Lait	1 c. à table	15 mL	1 c. à soupe
Essence d'amande	$^1/_4$ c. à thé	1 mL	$^1/_4$ c. à café

Position du sélecteur:
Position de la grille: 2

Pour la recette de pâte à pain sucrée, voir la recette des brioches du dimanche à la page 26.

Première opération

Rouler la pâte en un rectangle de 9 x 16 po (23 x 40 cm). Badigeonner avec le beurre fondu. Saupoudrer avec le mélange de cassonade, de noix, de raisins, de cannelle et de muscade. Rouler sur la longueur comme pour former une bûche.

Deuxième opération

Disposer en forme de couronne sur une tôle graissée et presser les bouts pour faire adhérer. Avec des ciseaux, inciser au $^3/_4$ de la largeur en tranches de 1 po (2,5 cm). Coucher délicatement chaque tranche sur le côté.

Troisième opération

Couvrir et laisser doubler de volume. Cuire au four préchauffé à 375°F (190°C) pendant environ 25 minutes. Laisser refroidir un peu, puis glacer avec le mélange de sucre glace, de lait et d'essence d'amande.

Pain

Ingrédients	Impérial	Canadien	Européen
Lait	2 tasses	500 mL	0,5 litre
Sucre	$^1/_4$ tasse	60 mL	55 g
Sel	4 c. à thé	20 mL	4 c. à café
Shortening	4 c. à table	60 mL	40 g
Eau	1 tasse	250 mL	2,5 dl
Sucre	2 c. à thé	10 mL	2 c. à café
Eau tiède à 100°F (38°C)	1 tasse	250 mL	2,5 dl
Levure active sèche	2 sachets de $^1/_4$ oz	2 sachets de 8 g	16 g
Farine	5 tasses	1,25 litre	760 g
Farine	4$^1/_2$ à 5 tasses	1,12 à 1,25 litre	680 à 760 g

Position du sélecteur:
Position de la grille: 2

Faire frémir le lait. Verser dans un grand bol et ajouter le sucre, le sel, le shortening et l'eau. Remuer jusqu'à ce que le shortening soit fondu. Laisser tiédir. Dissoudre le sucre dans l'eau tiède. Saupoudrer la levure. Laisser reposer 10 minutes. Mélanger vivement à la fourchette. Ajouter cette levure au premier mélange tiédi. Remuer. Incorporer 5 tasses (1,25 L) de farine. Battre vigoureusement à la main. Ajouter graduellement à la cuillère les 4$^1/_2$ à 5 tasses (1,12 à 1,25 L) de farine. Incorporer la dernière partie de la farine d'un mouvement circulaire de la main. Déposer sur une surface enfarinée et pétrir pendant 8 à 10 minutes. Façonner en boule lisse et mettre dans un bol graissé; rouler la boule pour en graisser la surface. Couvrir d'un linge humide et laisser doubler de volume (1$^1/_2$ heure environ) dans un endroit chaud. Dégonfler d'un coup de poing, puis façonner en 4 pains. Mettre dans des moules à pain graissés de 8$^1/_2$ x 4$^1/_2$ po (21,5 x 11,5 cm). Graisser la surface, couvrir et laisser doubler de volume (1 heure environ).

Préchauffer le four à 375°F (190°C), faire cuire à 375°F (190°C), pendant environ 30 à 35 minutes.

Si l'on désire une peau moins croustillante, badigeonner le dessus de beurre ramolli avant que le pain refroidisse.

Note: Pour faire des pains à salade, cuire pendant 20 minutes environ.

Pain de blé entier

Ingrédients	Impérial	Canadien	Européen
Lait	1¹/₂ tasse	375 mL	3,75 dl
Mélasse	¹/₂ tasse	125 mL	1,25 dl
Sel	2 c. à table	30 mL	2 c. à soupe
Shortening	¹/₂ tasse	125 mL	90 g
Eau tiède à 100°F (38°C)	2 tasses	500 mL	0,5 litre
Levure active	2 sachets de ¹/₄ oz	2 sachets de 8 g	16 g
Sucre	2 c. à thé	10 mL	2 c. à café
Farine de blé	8 à 9 tasses	2 à 2,25 litres	1,06 à 1,2 kg

Position du sélecteur:
Position de la grille: 2

Faire frémir le lait. Verser dans un grand bol et ajouter la mélasse, le sel, le shortening et l'eau tiède. Mélanger jusqu'à ce que le gras soit fondu. Pendant ce temps, saupoudrer la levure sur 1 tasse (250 mL) d'eau tiède (100°F/38°C) avec le sucre. Laisser gonfler pendant 10 minutes. Ajouter au mélange de lait. Mélanger et ajouter 4 à 5 tasses (1 à 1,25 litre) de farine de blé en l'incorporant d'un mouvement circulaire. Renverser sur une planche à pâtisserie et pétrir en ajoutant le reste de la farine. Former la pâte en boule lisse. Mettre la pâte dans un bol légèrement graissé et badigeonner légèrement la surface. Couvrir d'un linge humide et laisser doubler de volume (pendant 1¹/₂ heure). Dégonfler avec le poing, couper en quatre morceaux et former en pains. Déposer dans les moules à pain graissés. Couvrir et laisser doubler de volume (pendant 1 heure). Préchauffer à 400°F (200°C). Cuire à 400°F (200°C) pendant environ 25 à 30 minutes.

Pain à la française

Ingrédients	Impérial	Canadien	Européen
Beurre	$^1/_2$ tasse	125 mL	125 g
Persil	2 à 3 c. à table	30 à 45 mL	2 à 3 c. à soupe
Marjolaine	$^1/_2$ à 1 c. à thé	2 à 5 mL	$^1/_2$ à 1 c. à café
Ail	1 gousse	1 gousse	1 gousse
Baguette de pain de 12 po (30 cm)	1	1	1

Position du sélecteur:
Position de la grille: 2

Défaire le beurre en crème, ajouter le persil, la marjolaine et la gousse d'ail émincée. Trancher le pain en éventail. Introduire le mélange entre chaque tranche de pain. Envelopper de papier aluminium. Cuire à 375°F (190°C) pendant 15 à 20 minutes environ.

Pâtes

Lasagne

Ingrédients	Impérial	Canadien	Européen
Oignon émincé	1 tasse	250 mL	150 g
Ail émincé	2 gousses	2 gousses	2 gousses
Céleri haché finement	$1/2$ tasse	125 mL	70 g
Huile	$1/4$ tasse	60 mL	60 ml
Boeuf haché	2 lb	1 kg	1 kg
Sel	$1^1/2$ c. à thé	7 mL	$1^1/2$ c. à café
Tomates en conserve	1 boîte de 28 oz	1 boîte de 840 mL	360 g
Purée de tomate	2 boîtes de 6 oz	2 boîtes de 175 mL	380 g
Eau	$1/2$ tasse	125 mL	1,25 dl
Sucre	2 c. à thé	10 mL	2 c. à café
Origan	$1^1/2$ c. à thé	7 mL	$1^1/2$ c. à café
Persil séché	1 c. à thé	5 mL	1 c. à café
Poivre	$1/2$ c. à thé	2 mL	$1/2$ c. à café
Pâtes à lasagne	quantité suffisante	quantité suffisante	quantité suffisante
Beurre	quantité suffisante	quantité suffisante	quantité suffisante
Mozzarella	quantité suffisante	quantité suffisante	quantité suffisante
Pepperoni (facultatif)	quantité suffisante	quantité suffisante	quantité suffisante
Salami (facultatif)	quantité suffisante	quantité suffisante	quantité suffisante
Poivron vert en rondelles	quantité suffisante	quantité suffisante	quantité suffisante

Position du sélecteur: ☒
Position de la grille: 2 ou 3

Faire dorer les oignons, l'ail et le céleri dans l'huile. Ajouter le boeuf haché et brunir sur feu moyen. Ajouter le sel, les tomates en conserve, la purée de tomate, l'eau, le sucre, l'origan, le persil

et le poivre. Amener à ébullition, réduire le feu et faire mijoter pendant 2¹/₂ à 3 heures ou jusqu'à ce que la sauce épaississe. Mélanger souvent. Laisser refroidir.

Cuire les pâtes à lasagne.

Beurrer un plat rectangulaire de 13 x 9 x 2 po (33 x 23 x 5 cm). Déposer un rang de lasagne, de sauce, de pepperoni, et de fromage râpé, puis un rang de lasagne, de sauce, de salami et de fromage râpé, et terminer par un rang de lasagne, de fromage râpé et de rondelles de poivron vert.

Cuire à 375°F (190°C) pendant 30 à 40 minutes ou jusqu'à ce que le fromage soit doré.

Pizza

Ingrédients	Impérial	Canadien	Européen
Pâte:			
Sucre	1 c. à thé	5 mL	1 c. à café
Eau tiède à 100°F (38°C)	$^1/_2$ tasse	125 mL	1,25 dl
Levure active sèche	1 sachet de $^1/_4$ oz	1 sachet de 8 g	8 g
Huile végétale	$^1/_4$ tasse	60 mL	6 cl
Eau tiède	$^1/_2$ tasse	125 mL	1,25 dl
Sel	$1^1/_4$ c. à thé	6 mL	$1^1/_4$ c. à café
Farine	$2^1/_4$ à $2^1/_2$ tasses	560 à 625 mL	330 à 380 g

Position du sélecteur: ☒
Position de la grille: 2 ou 3

Faire dissoudre le sucre et l'eau. Y saupoudrer le sachet de levure active sèche. Laisser reposer pendant 10 minutes. Remuer. Verser la levure ramollie dans un grand bol et ajouter l'huile, l'eau tiède, le sel et $1^1/_4$ tasse (310 mL) de farine. Battre vigoureusement à la main. Ajouter graduellement, en mélangeant à la cuillère, le reste de la farine. Incorporer la dernière partie de la farine d'un mouvement circulaire de la main. Déposer sur une surface enfarinée et pétrir de 8 à 10 minutes. Façonner en boule lisse et mettre dans un bol graissé. Rouler la boule pour en graisser la surface. Couvrir d'un linge humide et laisser doubler de volume (pendant 45 minutes) dans un endroit chaud.

Dégonfler la pâte d'un coup de poing et diviser en deux. Façonner en 2 boules. Déposer sur des assiettes à pizza. Abaisser en pressant avec les mains pour faire deux cercles d'environ 12 po (30 cm) de diamètre. Laisser les bords un peu plus épais.

Ingrédients	Impérial	Canadien	Européen

Pour 4 pizzas de 12 po (30 cm):

Ingrédients	Impérial	Canadien	Européen
Tomates en conserve	1 boîte de 20 oz	1 boîte de 568 mL	260 g
Pâte de tomate	1 boîte de 5³/₄ oz	1 boîte de 170 mL	180 g
Ail émincé	1 gousse	1 gousse	1 gousse
Huile	1 c. à table	15 mL	1 c. à soupe
Origan	¹/₂ c. à thé	2 mL	¹/₂ c. à café
Sucre	1 c. à thé	5 mL	1 c. à café
Marjolaine	¹/₄ c. à thé	1 mL	¹/₄ c. à café
Persil	¹/₂ c. à thé	2 mL	¹/₂ c. à café
Sel	¹/₄ c. à thé	1 mL	¹/₄ c. à café
Poivre	¹/₈ c. à thé	0,5 mL	¹/₈ c. à café
Poudre de chili (facultatif)	1 pincée	1 pincée	1 pincée

Mélanger tous les ingrédients. Amener à ébullition sur feu doux et laisser mijoter pendant 5 minutes. Mélanger 3 à 4 fois.

Ingrédients	Impérial	Canadien	Européen
Pepperoni	quantité suffisante	quantité suffisante	quantité suffisante
Salami	quantité suffisante	quantité suffisante	quantité suffisante
Poivron vert	quantité suffisante	quantité suffisante	quantité suffisante
Mozzarella râpée	quantité suffisante	quantité suffisante	quantité suffisante
Champignons frais tranchés	quantité suffisante	quantité suffisante	quantité suffisante
Olives noires (facultatif)	quantité suffisante	quantité suffisante	quantité suffisante

Abaisser la pâte à pizza dans une assiette de 12 po (30 cm) et garnir de sauce. Ajouter le pepperoni, le salami, les champignons, la mozzarella râpée et le poivron en rondelles. Garnir d'olives noires si désiré. Préchauffer le four à 400°F (200°C) et mettre la grille à la position 2 ou 3.

Cuire à 400°F (200°C) pendant 20 à 25 minutes environ ou jusqu'à ce que le fromage soit doré.

Pâté au macaroni et au boeuf

Ingrédients	Impérial	Canadien	Européen
2 abaisses de tarte non cuites	2	2	2
Beurre	2 c. à table	30 mL	2 c. à soupe
Bifteck haché	$^1/_2$ lb	250 g	250 g
Oignon émincé	1	1	1
Céleri émincé	$^1/_2$ tasse	125 mL	70 g
Sel	au goût	au goût	au goût
Poivre	au goût	au goût	au goût
Macaroni cuit	1 tasse	250 mL	190 g
Soupe aux tomates concentrée	1 boîte de 10 oz	1 boîte de 284 mL	2,8 dl
Fromage râpé (facultatif)	$^1/_4$ tasse	60 mL	35 g

Position du sélecteur: ☒
Position de la grille: 2

Préchauffer le four à 375°F (190°C).

Fondre le beurre, ajouter l'oignon, faire blondir, puis ajouter la viande, le céleri, le sel et le poivre. Cuire en émiettant la viande. Ajouter le macaroni et la soupe aux tomates, et laisser mijoter pendant 3 à 4 minutes sur feu doux.

Laisser tiédir avant de verser dans l'abaisse.

Verser dans la première abaisse enfarinée, ajouter le fromage râpé si désiré, et couvrir avec l'autre abaisse.

Cuire dans un four préchauffé à 375°F (190°C), sur la grille placée à la position n° 2, pendant 30 à 35 minutes.

Servir avec une salade.

Rigatoni spécial au four

Ingrédients	Impérial	Canadien	Européen
Rigatoni cru	1/2 lb	250 g	250 g
Bacon	8 à 10 tranches	8 à 10 tranches	8 à 10 tranches
Beurre	1/4 tasse	60 mL	60 g
Crème à fouetter (35 %)	1/4 tasse	60 mL	60 g
Oeufs	4	4	4
Persil haché	1 à 2 c. à table	25 à 30 mL	1 à 2 c. à soupe
Poivre	1/4 c. à thé	1 mL	1/4 c. à café
Sel	quantité suffisante	quantité suffisante	quantité suffisante
Chapelure	quantité suffisante	quantité suffisante	quantité suffisante

Position du sélecteur:
Position de la grille: 2

Cuire les pâtes et mettre de côté.

Laisser le beurre, les oeufs et la crème à la température de la pièce.

Couper le bacon en petits morceaux et cuire jusqu'à ce qu'il soit croustillant. L'égoutter sur un papier absorbant.

Battre les oeufs et ajouter la crème à fouetter. Déposer le beurre dans les pâtes et mélanger. Ajouter le persil et le poivre au mélange à base d'oeufs et de crème.

Déposer les pâtes dans un moule carré de 8 x 8 po (20 x 20 cm). Verser le mélange liquide. Saler et saupoudrer de chapelure.

Cuire à 350°F (180°C) pendant 20 à 25 minutes environ.

Spaghetti au boeuf et aux tomates

Ingrédients	Impérial	Canadien	Européen
Spaghetti cru	1 lb	500 g	500 g
Tomates en conserve	1 boîte de 28 oz	1 boîte de 840 mL	360 g
Sucre	1 c. à thé	5 mL	1 c. à café
Beurre	2 à 3 c. à table	30 à 45 mL	2 à 3 c. à soupe
Oignon haché finement	1	1	1
Céleri coupé finement	2 branches	2 branches	2 branches
Boeuf haché	$^3/_4$ à 1 lb	360 à 500 g	360 à 500 g
Sel	au goût	au goût	au goût
Poivre	au goût	au goût	au goût
Sauce chili	$^1/_2$ tasse	125 mL	1,25 dl
Mozzarella en dés	$^1/_2$ lb	250 g	250 g
Chapelure (facultatif)	quantité suffisante	quantité suffisante	quantité suffisante

Position du sélecteur:
Position de la grille: 2

Cuire le spaghetti et l'égoutter. Faire mijoter les tomates avec le sucre pendant 10 minutes. Fondre le beurre. Ajouter l'oignon et le céleri et faire brunir. Ajouter le boeuf, le sel et le poivre. Cuire pendant quelques minutes. Ajouter les tomates et la sauce chili. Laisser mijoter sur feu doux pendant 10 minutes. Mélanger souvent.

Mélanger le spaghetti et la sauce à la viande. Déposer dans un moule rectangulaire. Couper le fromage en petits dés et déposer dans le mélange de spaghetti et de sauce. Couvrir de chapelure. Cuire à 375°F (190°C) pendant 20 à 25 minutes environ.

Si vous n'utilisez pas de chapelure, couvrir afin d'empêcher les pâtes de sécher.

Chapitre IV

Les légumes

Carottes au gingembre

Ingrédients	Impérial	Canadien	Européen
Carottes moyennes	8	8	8
Jus de citron	2 c. à thé	10 mL	2 c. à café
Sel	1 c. à thé	5 mL	1 c. à café
Gingembre moulu	$^1/_2$ c. à thé	2 mL	$^1/_2$ c. à café
Poivre	$^1/_8$ c. à thé	0,5 mL	$^1/_8$ c. à café
Beurre	1 c. à table	15 mL	1 c. à soupe

Position du sélecteur:
Position de la grille: 2

Peler les carottes et les trancher finement. Les placer dans un plat à four graissé de 1 pinte (1 litre).

Mêler le jus de citron, le sel, le gingembre et le poivre et verser sur les carottes. Parsemer de noisettes de beurre. Couvrir hermétiquement et cuire à 400°F (200°C) pendant 35 minutes environ. Remuer un peu les carottes à la fourchette, couvrir de nouveau et cuire pendant 10 à 15 minutes de plus ou jusqu'à ce que les carottes soient tendres.

Note: Pour avoir un bon résultat, les carottes doivent être tranchées très finement.

Casserole d'aubergine

Ingrédients	Impérial	Canadien	Européen
Huile de maïs	2 c. à table	30 mL	2 c. à soupe
Oignon haché	1	1	1
Poivron vert en dés	1	1	1
Boeuf haché	1 lb	500 g	500 g
Sel	1^1/2 c. à thé	7 mL	1^1/2 c. à café
Poivre	^{1}/2 c. à thé	2 mL	^{1}/2 c. à café
Origan	^{1}/2 c. à thé	2 mL	^{1}/2 c. à café
Aubergine en cubes	1	1	1
Oeuf battu	1	1	1
Maïs en grains	1 boîte de 12 oz	1 boîte de 341 mL	270 g
Cheddar râpé	quantité suffisante	quantité suffisante	quantité suffisante
Tomates en tranches	quantité suffisante	quantité suffisante	quantité suffisante
Persil frais haché	quantité suffisante	quantité suffisante	quantité suffisante

Position du sélecteur:
Position de la grille: 2 et 3

Chauffer l'huile, faire revenir l'oignon et le poivron. Ajouter le boeuf haché et les assaisonnements. Cuire jusqu'à ce que la viande perde sa couleur, puis égoutter. Ajouter le maïs, l'aubergine et l'oeuf battu. Disposer dans un moule de 9 x 13 po (23 x 33 cm) allant au four. Saupoudrer de fromage râpé et cuire à 350°F (180°C) pendant 35 minutes environ. Gratiner à Grill pendant 2 à 3 minutes. Décorer avec des tranches de tomates et du persil.

41

Casserole de légumes

Ingrédients	Impérial	Canadien	Européen
Beurre	2 c. à table	30 mL	2 c. à soupe
Oignon émincé	1	1	1
Boeuf haché	1 lb	500 g	500 g
Farine	3 c. à table	45 mL	3 c. à soupe
Soupe au boeuf et aux nouilles déshydratée	1 sachet de $1^1/_2$ oz	1 sachet de 42 g	42 g
Eau	$2^1/_2$ tasses	625 mL	6,25 dl
Ketchup rouge	$^1/_3$ tasse	80 mL	8 cl
Sel	1 c. à thé	5 mL	1 c. à café
Poivre	$^1/_8$ c. à thé	0,5 mL	$^1/_8$ c. à café
Légumes cuits ou	2 tasses	500 mL	360 g
Macédoine de légumes	1 boîte de 19 oz	1 boîte de 540 mL	360 g

Position du sélecteur:
Position de la grille: 2

Dans une casserole, faite revenir l'oignon dans le beurre sur la cuisinière. Ajouter le boeuf. Incorporer la farine graduellement. Ajouter la soupe, l'eau, le ketchup, le sel et le poivre. Cuire en remuant jusqu'à épaississement. Ajouter les légumes cuits. Verser dans un moule rectangulaire de 9 x 13 po (23 x 33 cm). Cuire à 400°F (200°C) pendant 25 à 30 minutes environ.

Chou-fleur au gratin

Ingrédients	Impérial	Canadien	Européen
Chou-fleur défait en bouquets	1	1	1
Beurre	2 c. à table	30 mL	2 c. à soupe
Oignon haché finement	1	1	1
Farine	2 c. à table	30 mL	2 c. à soupe
Lait	2 tasses	500 mL	0,5 litre
Sel	au goût	au goût	au goût
Poivre	au goût	au goût	au goût
Fromage râpé	$^1/_2$ à $^3/_4$ de tasse	125 à 180 mL	75 à 100 g
Chapelure	quantité suffisante	quantité suffisante	quantité suffisante

Position du sélecteur:
Position de la grille: 4

Cuire le chou-fleur à l'eau bouillante salée. Bien égoutter et le déposer dans le plat de service allant au four. Dans une casserole, chauffer le beurre, ajouter l'oignon et cuire jusqu'à ce qu'il soit transparent (pendant 1 à 2 minutes environ). Ajouter la farine, cuire un peu, retirer du feu, ajouter le lait et bien mélanger. Remettre sur feu doux, cuire en remuant jusqu'à épaississement. Saler et poivrer au goût. Ajouter le fromage râpé et remuer pour faire fondre. Verser la sauce sur le chou-fleur. Saupoudrer de chapelure. Faire gratiner au four pendant environ 3 à 4 minutes sur la grille n° 4.

Brocoli au gratin

On peut facilement remplacer le chou-fleur par la même quantité de brocoli.

Courgettes farcies

Ingrédients	Impérial	Canadien	Européen
Courgettes de 8 oz (250 g)	2 environ	2 environ	2 environ
Boeuf haché	$^3/_4$ lb	350 g	350 g
Oignon haché finement	1	1	1
Sel et poivre	au goût	au goût	au goût
Crème de tomate concentrée	1 boîte de 10 oz	1 boîte de 284 mL	2,8 dl
Fromage râpé	au goût	au goût	au goût

Position du sélecteur:
Position de la grille: 2

Couper les courgettes en deux dans le sens de la longueur. Évider l'intérieur avec une petite cuillère et réserver la pulpe ainsi obtenue. Mélanger le boeuf, la pulpe des courgettes en morceaux, l'oignon, le sel et le poivre. Farcir les pelures des courgettes avec cette préparation. Verser la crème de tomate concentrée par-dessus. Cuire à 350°F (180°C) pendant 10 minutes environ. Garnir de fromage et continuer la cuisson pendant 10 minutes environ.

Note: Comme mode de cuisson, on peut aussi cuire à 350°F (180°C) pendant 15 minutes et gratiner par la suite.

Plat de chou

Ingrédients	Impérial	Canadien	Européen
Chou en lanière	5 à 6 tasses	1,25 à 1,5 litre	550 à 660 g
Beurre	2 c. à table	30 mL	2 c. à soupe
Bifteck haché	1^1/$_2$ lb	750 g	750 g
Céleri émincé	1 tasse	250 mL	140 g
Oignon émincé	^{1}/$_2$ tasse	125 mL	75 g
Sel	au goût	au goût	au goût
Poivre	au goût	au goût	au goût
Soupe aux légumes (condensée)	1 boîte de 10 oz	1 boîte de 284 mL	218 dl
Sauce aux tomates	1 boîte de 14 oz	1 boîte de 398 mL	4 dl
Mozzarella râpée	quantité suffisante	quantité suffisante	quantité suffisante

Position du sélecteur:
Position de la grille: 2

Fondre le beurre, ajouter l'oignon, le céleri et le bifteck haché. Cuire en émiettant la viande. Assaisonner et ajouter la soupe aux légumes.

Dans un plat de cuisson, déposer 2^1/$_2$ à 3 tasses (625 à 750 mL) de chou, verser le mélange, ajouter le restant du chou, verser la sauce aux tomates sur le dessus et ajouter le fromage râpé.

Cuire à 350°F (180°C) pendant 45 à 55 minutes environ. Le temps de cuisson dépendra beaucoup de la façon dont est coupé le chou.

Pâté aux patates

Ingrédients	Impérial	Canadien	Européen
Abaisses de tarte, non cuites	2	2	2
Pommes de terre en purée	2 à 3 tasses	500 à 625 mL	414 à 520 g
Oignon émincé	1	1	1
Beurre	1 c. à table	15 mL	1 c. à soupe
Céleri émincé	¹/₄ tasse	60 mL	35 g
Sel	au goût	au goût	au goût
Poivre	au goût	au goût	au goût

Position du sélecteur:
Position de la grille: 2

Préchauffer le four à 375°F (190°C).

Fondre le beurre, ajouter l'oignon et le céleri, puis faire attendrir. Ajouter les oignons et le céleri aux pommes de terre en purée (réduire les pommes de terre en purée avec du beurre, mais sans ajouter de lait). Assaisonner au goût.

Verser dans la première abaisse enfarinée et couvrir avec l'autre abaisse.

Cuire dans un four préchauffé à 375°F (190°C), sur la grille placée à la position n° 2, pendant 30 à 35 minutes.

Si vous désirez congeler le pâté, vous devez ajouter un jaune d'oeuf aux pommes de terre en purée.

Pommes de terre et légumes en escalope

Ingrédients	Impérial	Canadien	Européen
Beurre	2 c. à table	30 mL	2 c. à soupe
Farine	2 c. à table	30 mL	2 c. à soupe
Sel	1 c. à thé	5 mL	1 c. à café
Poivre	1 c. à thé	5 mL	1 c. à café
Lait	2 tasses	500 mL	0,5 litre
Pommes de terre tranchées finement	4 tasses	1 litre	550 g
Carottes tranchées finement	1 tasse	250 mL	125 g
Oignons tranchés finement	1 tasse	250 mL	150 g

Position du sélecteur: ☒
Position de la grille: 1 ou 2

Fondre le beurre, ajouter la farine, le sel et le poivre. Ajouter le lait graduellement et cuire en remuant jusqu'à consistance lisse et épaisse. Ajouter les légumes et amener à ébullition. Verser dans un plat graissé de 2 pintes (2 litres). Couvrir et cuire à 350°F (180°C) pendant 55 à 60 minutes environ. Remuer durant la cuisson.

Note: On peut gratiner ce plat si on le désire.

47

Tomates farcies au riz

Ingrédients	Impérial	Canadien	Européen
Tomates évidées	4	4	4
Riz cuit	$1^1/_4$ tasse	310 mL	205 g
Oignon vert haché	3	3	3
Sel d'ail	$^1/_2$ c. à thé	2 mL	$^1/_2$ c. à café
Sel	au goût	au goût	au goût
Poivre	au goût	au goût	au goût
Beurre	quantité suffisante	quantité suffisante	quantité suffisante
Chapelure	quantité suffisante	quantité suffisante	quantité suffisante

Position du sélecteur:
Position de la grille: 2

Évider les tomates. Mélanger le riz, l'oignon vert, le sel d'ail, le sel et le poivre. Remplir les tomates de ce mélange. Déposer sur le dessus des noisettes de beurre, saupoudrer de chapelure. Cuire à 350°F (180°C) pendant 10 à 15 minutes environ.

Note: On peut ajouter, si on le désire, du poulet cuit ou du poisson cuit aux autres ingrédients.

Chapitre V

L'agneau

- *Carré d'agneau*
- *Casserole d'agneau*
- *Gigot d'agneau*
- *Timbale d'agneau*

Tableau de cuisson pour l'agneau

Coupe de viande	Poids approximatif	Position de la grille	Température du four non pré-chauffé	Méthode de cuisson	Température interne en fin de cuisson	Temps de cuisson approximatif (min/lb (500 g)
Gigot	4 à 5 lb (2 à 2,5 kg)	1	325°F (162°C)	×	160°F (71°C) - médium (à point)	28-30 min
					170°F (76°C) - bien cuit	35-40 min
Carré	3 lb (1,5 kg)	1	325°F (162°C)	×	160°F (71°C) - médium (à point)	28-30 min
					170°F (76°F) - bien cuit	30-35 min
Côtelettes	1 lb (500 g)	2	350°F (180°C)	×		28-30 min

Note: Les données de ce tableau ont été essayées avec les recettes de ce livre.

Carré d'agneau

Ingrédients	Impérial	Canadien	Européen
Carré d'agneau	3 lb	1,4 kg	1,4 kg
Sel	$^1/_2$ c. à thé	2 mL	$^1/_2$ c. à café
Poivre	$^1/_2$ c. à thé	2 mL	$^1/_2$ c. à café
Romarin séché	$^1/_2$ c. à thé	2 mL	$^1/_2$ c. à café
Gingembre moulu	$^1/_2$ c. à thé	2 mL	$^1/_2$ c. à café
Zeste de citron	1	1	1
Huile d'olive	2 c. à table	30 mL	2 c. à soupe

Position du sélecteur:
Position de la grille: 1

Dans un plat de cuisson, déposer le carré d'agneau. Mélanger ensemble le sel, le poivre, le romarin, le gingembre, le zeste de citron et l'huile. Badigeonner l'agneau de ce mélange. Cuire à 325 °F (162°C), pendant 30 à 35 minutes par livre (500 g) environ.

Casserole d'agneau

Ingrédients	Impérial	Canadien	Européen
Côtelettes d'agneau	2 lb	1 kg	1 kg
Huile	3 c. à table	45 mL	3 c. à soupe
Oignon en tranches	1 gros	1 gros	1 gros
Tomates en quartiers	3	3	3
Carottes en conserve, égouttées	1 boîte de 10 oz	1 boîte de 284 mL	140 g
Pâte de tomate	1 c. à table	15 mL	1 c. à soupe
Vin blanc	1/2 tasse	125 mL	1,25 dl
Bouillon de poulet chaud ou en cube	3/4 à 1 tasse	180 à 250 mL	1,8 à 2,5 dl
Sel	au goût	au goût	au goût
Poivre	au goût	au goût	au goût
Fécule de maïs	2 c. à thé	10 mL	2 c. à café
Eau	1 c. à table	15 mL	1 c. à soupe
Persil (facultatif)	quantité suffisante	quantité suffisante	quantité suffisante

Position du sélecteur: ☒
Position de la grille: 2

Chauffer l'huile, y faire dorer les côtelettes des 2 côtés. Déposer dans un plat de cuisson rectangulaire. Faire revenir l'oignon dans le poêlon. Ajouter les tomates en quartiers, les carottes, la pâte de tomate, le vin blanc, le bouillon, le sel et le poivre. Laisser mijoter pendant quelques minutes. Verser sur les côtelettes. Cuire à 350°F (180°C), pendant 40 à 50 minutes environ. Pour servir, épaissir le liquide avec la fécule de maïs diluée dans l'eau froide. Saupoudrer de persil.

Gigot d'agneau

Ingrédients	Impérial	Canadien	Européen
Gigot d'agneau	4 à 5 lb	2 à 2,5 kg	2 à 2,5 kg
Gousse d'ail	2	2	2
Romarin séché	1 c. à table	15 mL	1 c. à soupe
Sel et poivre	au goût	au goût	au goût
Gelée d'abricot	1/3 tasse	80 mL	100 g
Jus de citron	2 c. à table	30 mL	2 c. à soupe

Position du sélecteur: ☒
Position de la grille: 1

Couper l'ail en morceaux et l'insérer dans le gigot à plusieurs endroits. Frotter la surface avec le romarin, le sel et le poivre. Déposer sur une rôtissoire. Cuire à 325°F (162°C) pendant environ 28 à 40 minutes par livre (500 g) ou avec un thermomètre à 160°F (71°C) pour à point (médium) ou à 170°F (76°C) pour bien cuit.

Environ une demi-heure avant la fin de la cuisson, badigeonner la surface de gelée d'abricot diluée avec le jus de citron.

Timbale d'agneau

Ingrédients	Impérial	Canadien	Européen
Agneau cuit	3 tasses	750 mL	800 g
Mie de pain	1$^1/_2$ tasse	375 mL	190 g
Lait chaud	1$^1/_2$ tasse	375 mL	3,75 dl
Beurre fondu	3 c. à table	45 mL	3 c. à soupe
Oeufs battus	3	3	3
Paprika	1 pincée	1 pincée	1 pincée
Sel	1 pincée	1 pincée	1 pincée

Position du sélecteur:
Position de la grille: 1

Préchauffer le four à 350°F (180°C).

Hacher la viande. Tremper la mie de pain dans le lait chaud pendant 5 minutes. Y verser le beurre, les oeufs battus, la viande et l'assaisonnement. Verser dans un moule beurré (ou des petits moules individuels). Cuire au four, au bain-marie, à 350°F (180°C) jusqu'à ce que le mélange soit ferme au centre, pendant 30 minutes environ. Démouler sur un lit de salade et servir avec des tomates et des concombres en tranches.

Chapitre VI

Le boeuf

Tableau de cuisson pour le boeuf

Coupe de viande	Poids approximatif	Position de la grille	Température du four non préchauffé	Méthode de cuisson	Température interne en fin de cuisson	Temps de cuisson approximatif (min/lb (500 g)
Rosbif	2 à 4 lb	1	350°F (180°C)	☒	saignant - 140°F (60°C)	25-30 min
Filet	(1 à 2 kg)				médium (à point) - 160°F (71°C)	30-35 min
Boston					bien-cuit - 170°F (76°C)	35-40 min
Surlonge						
Coupe française	3 à 4 lb (1,5 à 2 kg)	1	350°F (180°C)	☒	saignant - 140°F (60°C) médium (à point) - 160°F (71°C)	15-20 min 20-25 min
Braisé	2 à 3 lb (1 à 1,5 kg)	1	350°F (180°C)	☒		35-40 min
Pain de viande	2 lb (1 kg)	1 ou 2	350°F (180°C)	☒		20-25 min

Note: Les données de ce tableau ont été essayées avec les recettes de ce livre.

Boeuf bourguignon

Ingrédients	Impérial	Canadien	Européen
Boeuf de ronde en cubes de 1 po (2,5 cm)	$1^1/_2$ lb	750 g	750 g
Vin rouge	1 tasse	250 mL	2,5 dl
Gousse d'ail	1	1	1
Feuille de laurier	1	1	1
Thym	$^1/_2$ c. à thé	2 mL	$^1/_2$ c. à café
Sel et poivre	au goût	au goût	au goût
Farine	3 c. à table	45 mL	3 c. à soupe
Beurre	2 c. à table	30 mL	2 c. à soupe
Bovril au boeuf ou bouillon de boeuf concentré	2 c. à thé	10 mL	2 c. à café
Carottes en morceaux	2	2	2
Poireau tranché	$^1/_2$	$^1/_2$	$^1/_2$
Persil	1 c. à thé	5 mL	1 c. à café
Bouillon de boeuf	$^1/_2$ tasse	125 mL	1,25 dl
Champignons	$^1/_2$ lb	250 g	250 g

Position du sélecteur:
Position de la grille: 1

Faire macérer la viande pendant toute une nuit dans le vin rouge auquel on aura ajouté la gousse d'ail, une feuille de laurier, le thym, le sel et le poivre. Enlever la feuille de laurier et l'ail. Ajouter le reste des ingrédients et bien mélanger. Couvrir et cuire à 325°F (162°C), sur la grille n° 1, pendant 3 à $3^1/_2$ heures environ. Quinze minutes avant la fin de la cuisson, ajouter $^1/_2$ lb (250 g) de champignons frais.

Boeuf braisé à l'oignon

Ingrédients	Impérial	Canadien	Européen
Rôti de boeuf (dans la palette)	2 à 3 lb	1 à 1,5 kg	1 à 1,5 kg
Soupe à l'oignon déshydratée	1 sachet de 1^1/$_2$ oz	1 sachet de 42 g	42 g
Carottes en morceaux	3	3	3
Pommes de terre en morceaux	7 à 8 petites	7 à 8 petites	7 à 8 petites
Thym	^{1}/$_4$ c. à thé	1 mL	^{1}/$_4$ c. à café
Sel d'ail	^{1}/$_8$ c. à thé	0,5 mL	^{1}/$_8$ c. à café
Sucre	1 pincée	1 pincée	1 pincée
Jus de pomme	^{3}/$_4$ tasse	180 mL	1,8 dl

Position du sélecteur:
Position de la grille: 1

Déposer le boeuf dans un papier d'aluminium placé dans un plat de cuisson peu profond. Frotter avec le mélange de soupe à l'oignon. Assaisonner. Arroser de jus de pomme. Sceller le papier et cuire à 350°F (180°C), pendant 1^1/$_2$ heure environ. Ajouter les légumes autour du rôti à l'intérieur du papier d'aluminium. Refermer le papier d'aluminium et continuer la cuisson pendant 1^1/$_2$ heure environ.

Boulettes à hamburgers au four

Ingrédients	Impérial	Canadien	Européen
Boeuf haché	1¹/₂ lb	750 g	750 g
Farine	quantité suffisante	quantité suffisante	quantité suffisante
Beurre	quantité suffisante	quantité suffisante	quantité suffisante
Oignon en rondelles	1 gros	1 gros	1 gros
Sel et poivre	au goût	au goût	au goût
Crème de tomates	1 boîte de 10 oz	1 boîte de 284 mL	2,8 dl
Eau	¹/₂ tasse	125 mL	1,25 dl

Position du sélecteur: ☒
Position de la grille: 1

Façonner le boeuf en boulettes de 3 po (7,5 cm) de diamètre. Passer dans la farine. Déposer dans un plat allant au four. Fondre le beurre dans un poêlon et y faire dorer les oignons. Verser sur la viande. Assaisonner. Mélanger la crème de tomates et l'eau et verser sur le dessus. Couvrir et cuire à 350°F (180°C) pendant 25 à 30 minutes environ.

Boulettes maison

Ingrédients	Impérial	Canadien	Européen
Boeuf haché maigre	1¹/₂ lb	750 g	750 g
Chapelure	¹/₂ tasse	125 mL	65 g
Moutarde préparée	¹/₂ c. à thé	2 mL	¹/₂ c. à café
Oignon haché	¹/₄ tasse	60 mL	35 g
Sel	1 c. à thé	5 mL	1 c. à café
Oeuf battu	1	1	1
Ketchup	³/₄ tasse	180 mL	1,8 dl
Ananas en morceaux	1 boîte de 14 oz	1 boîte de 398 mL	560 g

Position du sélecteur: ☒
Position de la grille: 1

Mélanger le boeuf haché, la chapelure, la moutarde, l'oignon, le sel et l'oeuf. Faire des petites boulettes de 1 po (2,5 cm) de diamètre et les placer dans un plat légèrement graissé. Cuire à 350°F (180°C) pendant environ 10 à 15 minutes en les tournant de temps en temps pour qu'elles brunissent bien. Égoutter le gras. Mélanger le ketchup et les ananas non égouttés. Verser sur les boulettes et continuer la cuisson pendant 10 à 15 minutes environ.

Note: On peut épaissir la sauce, si désiré.

Brochettes de boeuf

Ingrédients	Impérial	Canadien	Européen
Boeuf en cubes en quantité suffisante (partie tendre). Cubes de	1 à 1¹/₂ po	2,5 à 3,7 cm	2,5 à 3,7 cm
Marinade:			
Vin de Bourgogne rouge	¹/₂ tasse	125 mL	1,25 dl
Sauce Worcestershire	1 c. à thé	5 mL	1 c. à café
Gousse d'ail	1	1	1
Huile à salade	¹/₂ tasse	125 mL	1,25 dl
Ketchup	2 c. à table	30 mL	2 c. à soupe
Sucre	1¹/₂ c. à thé	7 mL	1¹/₂ c. à café
Sel	¹/₂ c. à thé	2 mL	¹/₂ c. à café
Glutamate monosodique	¹/₂ c. à thé	2 mL	¹/₂ c. à café
Vinaigre	1 c. à table	15 mL	1 c. à soupe
Romarin séché	¹/₂ c. à thé	2 mL	¹/₂ c. à café
Marjolaine séchée	¹/₂ c. à thé	2 mL	¹/₂ c. à café
Oignons en morceaux	quantité suffisante	quantité suffisante	quantité suffisante
Poivrons verts en morceaux	quantité suffisante	quantité suffisante	quantité suffisante
Gros champignons en morceaux	quantité suffisante	quantité suffisante	quantité suffisante

Position du sélecteur:
Position de la grille: 4

Mélanger le vin avec la sauce Worcestershire, la gousse d'ail, l'huile, le ketchup et les aromates. Faire mariner les morceaux de boeuf et les champignons pendant 2 à 4 heures. Préchauffer le four à 550°F (288°C). Préparer les brochettes en faisant alterner les cubes de viande et les morceaux de poivron vert, d'oignon et de champignon. Cuire à 550°F (288°C), en respectant les temps de cuisson suivants:

Saignant: 6 minutes environ.
À point (médium): 8 minutes environ.
Bien cuit: 10 minutes environ.
Tourner à la mi-cuisson.

Casserole délicieuse de foie

Ingrédients	Impérial	Canadien	Européen
Foie de boeuf (tranches de)	1 lb	500 g	0,5 kg
Beurre	quantité suffisante	quantité suffisante	quantité suffisante
Oignons tranchés	3	3	3
Carottes en rondelles	3	3	3
Pommes de terre en morceaux	3	3	3
Ketchup	$^1/_4$ tasse	60 mL	6 cl
Sauce chili	$^1/_4$ tasse	60 mL	6 cl
Sel et poivre	au goût	au goût	au goût
Eau bouillante	1 tasse	250 mL	2,5 dl

Position du sélecteur:
Position de la grille: 1

Saisir les tranches de foie dans le beurre pour les faire brunir. Placer dans un plat allant au four et couvrir d'oignons, de carottes et de pommes de terre. Ajouter le ketchup, la sauce chili, le sel, le poivre et l'eau bouillante. Couvrir et cuire à 350°F (180°C) pendant 1 h 15 environ. Laisser reposer 15 minutes avant de servir.

Note: On peut se servir de légumes cuits (pommes de terre-carottes); le temps de cuisson sera alors de 30 à 40 minutes environ.

Pain de viande

Ingrédients	Impérial	Canadien	Européen
Boeuf haché	2 lb	1 kg	1 kg
Oignon émincé	1	1	1
Ketchup rouge	$^1/_2$ tasse	125 mL	1,25 dl
Oeufs battus	2	2	2
Sel, poivre	au goût	au goût	au goût
Sauce Worcestershire	quelques gouttes	quelques gouttes	quelques gouttes
Biscuits soda émiettés	15	15	15

Position du sélecteur:
Position de la grille: 1

Mélanger tous les ingrédients, déposer dans un moule en pyrex carré et cuire à 350°F (180°C) pendant 40 à 50 minutes environ.

Pain de viande dépanneur

Ingrédients	Impérial	Canadien	Européen
Boeuf haché	1$^1/_2$ lb	750 g	750 g
Crème de tomates	10 oz	284 mL	2,8 dl
Riz instantané	$^1/_2$ tasse	125 mL	75 g
Oignon moyen émincé	1	1	1
Sel et poivre	au goût	au goût	au goût

Position du sélecteur:
Position de la grille: 1

Mélanger tous les ingrédients et déposer dans un moule à pain en pyrex de 9 x 5 po (23 x 13 cm) et cuire à 350°F (180°C) pendant 40 à 50 minutes environ.

Renversé à la viande

Ingrédients	Impérial	Canadien	Européen
Beurre ou margarine	2 c. à table	30 mL	2 c. à soupe
Oignon émincé	1	1	1
Boeuf haché	1 lb	500 g	500 g
Sel	$^1/_2$ c. à thé	2 mL	$^1/_2$ c. à café
Soupe aux tomates	1 boîte de 10 oz	1 boîte de 284 mL	2,8 dl
Pâte:			
Farine	1$^1/_2$ tasse	375 mL	230 g
Poudre à pâte (levure chimique	3 c. à table	45 ml	3 c. à soupe
Paprika	1 c. à thé	5 mL	1. c. à café
Sel de céleri	1 c. à thé	5 mL	1 c. à café
Sel	$^1/_4$ c. à thé	1 mL	$^1/_4$ c. à café
Poivre	$^1/_4$ c. à thé	1 mL	$^1/_4$ c. à café
Graisse végétale	$^1/_3$ tasse	80 mL	55 g
Lait	$^3/_4$ tasse	180 mL	1,8 dl

Position du sélecteur:
Position de la grille: 1

Préchauffer le four à 450°F (230°C).

Faire revenir l'oignon dans le beurre. Ajouter le boeuf haché, le sel et la soupe aux tomates. Amener à ébullition.

Pâte

Tamiser la farine, la poudre à pâte (levure chimique), le sel, le poivre, le sel de céleri et le paprika. Couper la graisse dans la farine. Ajouter le lait et mêler. Abaisser un peu, étendre sur la viande et cuire au four à 450°F (230°C), pendant 15 minutes environ.

Rosbif avec sauce

Ingrédients	Impérial	Canadien	Européen
Rosbif	3 à 4 lb	1,5 à 2 kg	1,5 à 2 kg
Beurre	2 c. à table	30 mL	2 c. à soupe
Moutarde en poudre	1 c. à thé	5 mL	1 c. à café
Poivre	$^1/_2$ c. à thé	2 mL	$^1/_2$ c. à café
Poivre de Cayenne	$^1/_4$ c. à thé	1 mL	$^1/_4$ c. à café
Sel	1 c. à thé	5 mL	1 c. à café
Huile	$^1/_4$ tasse	60 mL	6 cl

Position du sélecteur:
Position de la grille: 1

Défaire le beurre en crème. Ajouter la moutarde, le poivre, le poivre de Cayenne, le sel et l'huile. Enrober le rosbif de ce mélange. Déposer sur une lèchefrite. Cuire à 350°F (180°C).

Saignant: 25 à 30 min/lb (500 g) ou 140°F (60°C) au thermomètre.

À point (médium): 30 à 35 min/lb (500 g) ou 160°F (71°C) au thermomètre.

Bien cuit: 35 à 40 min/lb (500 g) ou 170°F (76°C) au thermomètre.

Steak aux poivrons

Ingrédients	Impérial	Canadien	Européen
Boeuf dans la ronde de $^{1}/_{2}$ po (2,5 cm) d'épaisseur	1$^{1}/_{2}$ à 2 lb	750 g à 1 kg	750 g à 1 kg
Beurre	2 c. à table	30 mL	2 c. à soupe
Tomates	1 boîte de 28 oz	1 boîte de 796 mL	360 g
Oignon émincé	1	1	1
Ail émincé	1 gousse	1 gousse	1 gousse
Cubes de bouillon de boeuf	2 cubes	2 cubes	2 cubes
Eau chaude	$^{1}/_{4}$ tasse	60 mL	6 cl
Poivre	au goût	au goût	au goût
Poivron vert en bâtonnets	1	1	1
Poivron rouge en bâtonnets	1	1	1

Position du sélecteur:
Position de la grille: 1

Préparer la viande, la couper en lamelles de 2 x $^{1}/_{4}$ po (5 x 0,6 cm), chauffer le beurre et faire dorer la viande. Enlever le surplus de gras. Égoutter les tomates et réserver celles-ci pour la fin de la cuisson. Ajouter le jus des tomates, l'oignon, l'ail, les cubes de bouillon de boeuf (dilués dans un peu d'eau chaude), la sauce Worcestershire, le sel et le poivre. Couvrir et cuire à 350°F (180°C) pendant 45 minutes environ. Ajouter les poivrons et les tomates. Cuire pendant environ 15 à 30 minutes de plus ou jusqu'à ce que le poivron soit cuit.

Chapitre VII

La volaille

- *Brochettes de dinde*
- *Cuisses ou poitrines de poulet rôti*
- *Dinde rôtie*
- *Pâté au poulet ou à la dinde*
- *Poulet bouilli aux légumes*
- *Poulet rôti*
- *Soufflé au poulet*
- *Foies de poulet de Denise*

Tableau de cuisson pour la volaille

Coupe de viande	Poids approximatif	Position de la grille	Température du four non préchauffé	Méthode de cuisson	Température interne en fin de cuisson	Temps de cuisson approximatif (min/lb (500 g))
Dinde	8-10 lb (4 à 5 kg)	1 ou 2	325°F (162°C)	✗	180°F (82°C)	22 à 24 min
Poulet	3-4 lb (1,5 à 2 kg)	1 ou 2	350°F (180°C)	✗	180°F (82°C)	24 à 27 min
Morceaux de poulet		2 ou 3	350°F (180°C)	✗		2 h environ

Note: Les données de ce tableau ont été essayées avec les recettes de ce livre.

Brochettes de dinde

Ingrédients	Impérial	Canadien	Européen
Poitrine de dinde coupée en cubes de 1 po (2,5 cm)	1	1	1
Poivron vert coupé en morceaux	1	1	1
Poivron rouge coupé en morceaux	1	1	1
Oignons moyens coupés en quartiers	2	2	2
Ananas en cubes	1 boîte de 19 oz	1 boîte de 540 mL	755 g
Bacon	20 tranches	20 tranches	20 tranches
Brochettes métalliques de 7 po (18 cm)	4	4	4
Marinade:			
Sauce *Kitchen Bouquet* ou sauce à brunir	1 c. à table	15 mL	1 c. à soupe
Sauce Worcestershire	1 c. à thé	5 mL	1 c. à café
Beurre	1 c. à table	15 mL	1 c. à soupe
Sel, poivre, paprika	1 pincée de chacun	1 pincée de chacun	1 pincée de chacun

Position du sélecteur:
Position de la grille: 3

Préchauffer le gril à 550°F (288°C).

Nettoyer et couper la poitrine de dinde en cubes de 1 po (2,5 cm). Sur les brochettes, enfiler les ingrédients dans l'ordre suivant: 1 morceau d'oignon, 1 morceau de poivron vert, 1 cube de dinde enrobé de bacon, 1 morceau d'ananas, 1 morceau de poivron rouge. Répéter l'opération. Préparer la marinade et badigeonner les brochettes. Faire griller, pendant 10 minutes sur un côté, retourner les brochettes et couvrir de marinade de nouveau. Remettre au four pendant 5 minutes environ. Servir sur un lit de riz aux légumes.

Cuisses ou poitrines de poulet rôti

Ingrédients	Impérial	Canadien	Européen
Morceaux de poulet	4 à 6	4 à 6	4 à 6
Jus de citron	1	1	1
Sel et poivre	au goût	au goût	au goût

Position du sélecteur:
Position de la grille: 2

Préchauffer le gril à 550°F (288°C).

Déposer les morceaux de poulet dans une lèchefrite et les arroser de jus de citron. Saler et poivrer des deux côtés. Mettre sous le gril pendant 5 minutes, retourner et cuire pendant 5 minutes de plus. Baisser la grille à 2 et cuire à 350°F (180°C) pendant 20 à 25 minutes environ.

Dinde rôtie

Ingrédients	Impérial	Canadien	Européen
Dinde	1	1	1
Beurre fondu	4 c. à table	75 mL	75 g
Oignon émincé	1	1	1
Céleri émincé	1 branche	1 branche	1 branche
Carotte tranchée	1	1	1
Sel	$^1/_2$ c. à thé	2 mL	$^1/_2$ c. à café
Poivre	$^1/_2$ c. à thé	2 mL	$^1/_2$ c. à café

Position du sélecteur: ☒
Position de la grille: 1 ou 2

Placer les légumes à l'intérieur de la dinde. Déposer dans une lèchefrite. Badigeonner de beurre fondu et assaisonner. Envelopper entièrement avec du papier d'aluminium et cuire à 325°F (162°C) pendant environ 22 à 24 minutes par livre (500 g). Découvrir 30 minutes avant la fin de la cuisson. Servir avec une sauce aux canneberges.

Pâté au poulet ou à la dinde

Ingrédients	Impérial	Canadien	Européen
Abaisses de tarte	2	2	2
Céleri en petits morceaux	$^1/_2$ tasse	125 mL	70 g
Carottes en fines rondelles	$^3/_4$ tasse	180 mL	90 g
Poivron en petits morceaux	au goût	au goût	au goût
Pois verts ou autres légumes	$^1/_2$ tasse	125 mL	100 g
Poulet cuit en cubes	1$^1/_2$ à 2 tasses	375 mL à 500 mL	200 à 260 g
Crème de champignons	1 boîte de 10 oz	1 boîte de 284 mL	2,8 dl
Lait	quantité suffisante	quantité suffisante	quantité suffisante

Position du sélecteur:
Position de la grille: 1

Préchauffer le four à 350°F (180°C).

Cuire les légumes, égoutter. Ajouter le poulet et la crème de champignons. Déposer dans une abaisse et couvrir de l'autre abaisse. Badigeonner de lait et cuire à 350°F (180°C) pendant 50 à 60 minutes environ.

Poulet bouilli aux légumes

Ingrédients	Impérial	Canadien	Européen
Poulet de 4 à 5 lb (2 à 2,5 kg)	1	1	1
Beurre	quantité suffisante	quantité suffisante	quantité suffisante
Eau bouillante	quantité suffisante	quantité suffisante	quantité suffisante
Oignon tranché	1	1	1
Céleri en morceaux	2 branches	2 branches	2 branches
Feuilles de laurier	1	1	1
Sel	$^1/_2$ c. à thé	2 mL	$^1/_2$ c. à café

Position du sélecteur:
Position de la grille: 2

Fondre le beurre dans un poêlon et faire brunir le poulet de tous les côtés. Déposer le poulet dans une marmite. Ajouter l'eau à mi-hauteur. Ajouter les oignons, le céleri, la feuille de laurier et le sel. Couvrir et faire mijoter à 350°F (180°C), pendant environ 2 h 30 minutes à 3 h, selon la grosseur du poulet.

Poulet rôti

Ingrédients	Impérial	Canadien	Européen
Poulet	4 à 5 lb	2 à 2,5 kg	2 à 2,5 kg
Oignon coupé en deux	1	1	1
Thym	$^1/_4$ c. à thé	1 mL	$^1/_4$ c. à café
Sel	$^1/_2$ c. à thé	2 mL	$^1/_2$ c. à café
Poivre	$^1/_4$ c. à thé	1 mL	$^1/_4$ c. à café
Beurre	3 c. à table	45 mL	3 c. à soupe
Moutarde sèche	1 c. à table	15 mL	1 c. à soupe

Position du sélecteur: ☒
Position de la grille: 1 ou 2

Nettoyer le poulet. Dans la cavité du poulet, mettre l'oignon, le thym, le sel et le poivre. Ficeler. Placer dans une lèchefrite. Défaire le beurre en crème, ajouter la moutarde sèche et badigeonner le poulet. Cuire pendant 35 à 40 minutes par livre (500 g) environ.

Soufflé au poulet

Ingrédients	Impérial	Canadien	Européen
Sauce béchamel claire	2 tasses	500 mL	0,5 litre
Chapelure	2 c. à table	30 mL	2 c. à soupe
Poulet cuit haché finement	2 tasses	500 mL	260 g
Jaunes d'oeufs bien battus	3	3	3
Persil	1 c. à table	15 mL	1 c. à soupe
Blancs d'oeufs battus en neige ferme	3	3	3
Sel	1 c. à thé	5 mL	1 c. à café
Poivre	$1/2$ c. à thé	2 mL	$1/2$ c. à café

Position du sélecteur:
Position de la grille: 1 ou 2

Préchauffer le four à 325°F (162°C).

Ajouter la panure à la sauce et cuire 2 minutes, retirer du feu, ajouter le poulet, les jaunes d'oeufs, le persil, le sel et le poivre, puis incorporer les blancs d'oeufs. Verser dans un plat allant au four et cuire à 325°F (162°C), pendant 40 à 45 minutes environ.

Foies de poulet de Denise

Ingrédients	Impérial	Canadien	Européen
Bacon coupé	4 tranches	4 tranches	4 tranches
Oignon haché	1	1	1
Poivron vert haché	$^1/_2$	$^1/_2$	$^1/_2$
Foies de poulet panés	1 lb	500 g	0,5 kg
Tomates	1 boîte de 19 oz	1 boîte de 540 mL	245 kg
Sel et poivre	au goût	au goût	au goût

Position du sélecteur:
Position de la grille: 2

Faire revenir le bacon dans un poêlon, y ajouter l'oignon et le poivron, retirer les ingrédients et faire dorer des deux côtés les foies panés.

Mettre dans un plat allant au four, les foies, l'oignon, le poivron, les tomates, le sel et le poivre. Couvrir et cuire à 350°F (180°C), pendant 20 minutes environ.

Chapitre VIII

Le porc

- *Côtelettes de porc barbecue*
- *Côtelettes de porc aux tomates*
- *Filet de porc au vin*
- *Filet de porc aux champignons*
- *Longe de porc désossée*
- *Rôti de porc aux pommes*
- *Côtes levées (spareribs)*
- *Jambon à l'ananas*

Tableau de cuisson pour le porc

Coupe de viande	Poids approximatif	Position de la grille	Température du four non préchauffé	Méthode de cuisson	Température interne en fin de cuisson	Temps de cuisson approximatif (min/lb (500 g))
Rôti roulé	3 à 4 lb (1,5 à 2 kg)	1 ou 2	350°F (180°C)	x	170°F (76°C)	30 à 35 min
Longe	3 à 4 lb (1,5 à 2 kg)	1 ou 2	350°F (180°C)	x	170°F (76°C)	30 à 35 min
Filet	1 ou 2	2	350°F (180°C)	x	170°F (76°C)	25 à 30 min
Côtelettes	4-6 morceaux	1 ou 2	350°F (180°C)	x	170°F (76°C)	45 à 50 min
Jambon	3 à 4 lb (1,5 à 2 kg)	1 ou 2	350°F (180°C)	x		25 à 35 min

Note: Les données de ce tableau ont été essayées avec les recettes de ce livre.

Côtelettes de porc barbecue

Ingrédients	Impérial	Canadien	Européen
Côtelettes de porc	5 à 6	5 à 6	5 à 6
Beurre	quantité suffisante	quantité suffisante	quantité suffisante
Sel	au goût	au goût	au goût
Poivre	au goût	au goût	au goût
Sel d'ail	au goût	au goût	au goût
Beurre fondu	$1/3$ tasse	80 mL	80 g
Vinaigre	$1/3$ tasse	80 mL	8 cl
Sauce Worcestershire	1 c. à table	15 mL	1 c. à soupe
Moutarde sèche	1 c. à thé	5 mL	1 c. à café
Cassonade	$1/2$ tasse	125 mL	125 g
Ketchup	$2/3$ tasse	160 mL	1,6 dl
Jus de citron	1 c. à table	15 mL	1 c. à soupe
Eau	$1/3$ tasse	80 mL	8 cl

Position du sélecteur:
Position de la grille: 1

Fondre le beurre dans un poêlon, ajouter les côtelettes et les faire dorer en les retournant souvent. Assaisonner de sel, de poivre et de sel d'ail vers la fin de la cuisson. Les déposer dans un plat allant au four. Dans une casserole, mélanger le beurre fondu, le vinaigre, la sauce Worcestershire, la moutarde sèche, la cassonade, le ketchup, le jus de citron et l'eau. Laisser bouillir jusqu'à épaississement. Verser sur les côtelettes. Couvrir et cuire à 350°F (180°C), pendant 40 à 45 minutes environ.

Côtelettes de porc aux tomates

Ingrédients	Impérial	Canadien	Européen
Beurre	1 c. à table	15 mL	1 c. à soupe
Graisse	1 c. à table	15 mL	1 c. à soupe
Oignon	1	1	1
Côtelettes de porc	4 à 6	4 à 6	4 à 6
Sel	au goût	au goût	au goût
Poivre	au goût	au goût	au goût
Tomates à l'étuvée	1 boîte de 19 oz	1 boîte de 540 mL	245 g
Feuille de laurier	2	2	2

Position du sélecteur:
Position de la grille: 1

Fondre le beurre et la graisse dans un poêlon. Faire dorer l'oignon et les côtelettes en les tournant. Déposer dans un plat allant au four. Ajouter les tomates, le sel, le poivre et les feuilles de laurier. Couvrir et cuire à 350°F (180°C), pendant 40 à 45 minutes environ.

Filet de porc au vin

Ingrédients	Impérial	Canadien	Européen
Beurre	quantité suffisante	quantité suffisante	quantité suffisante
Filet de porc	1 ou 2	1 ou 2	1 ou 2
Consommé de boeuf	$^2/_3$ tasse	160 mL	1,6 dl
Vin rouge	3 c. à table	45 mL	3 c. à soupe
Céleri en dés	1 branche	1 branche	1 branche
Carottes en dés	1	1	1
Oignon en dés	1	1	1
Poivre	au goût	au goût	au goût
Sel	au goût	au goût	au goût

Position du sélecteur:
Position de la grille: 2

Faire dorer les filets et l'oignon dans un poêlon dans un peu de beurre. Déposer la viande dans un plat allant au four. Ajouter les légumes coupés en dés. Ajouter le consommé et le vin. Assaisonner. Couvrir et cuire à 350°F (180°C), pendant 1 h à 1 h 15 environ.

Filet de porc aux champignons

Ingrédients	Impérial	Canadien	Européen
Filet de porc	1	1	1
Gousse d'ail	1	1	1
Paprika	quantité suffisante	quantité suffisante	quantité suffisante
Beurre	3 c. à table	45 mL	3 c. à soupe
Champignons frais tran-chés	1 tasse	250 mL	90 g
Jus de citron	3 c. à table	45 mL	3 c. à soupe
Poivre	quantité suffisante	quantité suffisante	quantité suffisante
Marjolaine	$1/2$ c. à thé	2 mL	$1/2$ c. à café
Farine	1 c. à thé	5 mL	1 c. à café
Crème légère (15 %)	$1/2$ tasse	125 mL	1,25 dl
Sel	au goût	au goût	au goût

Position du sélecteur: ☒
Position de la grille: 2

Frotter le filet des 2 côtés avec l'ail. Le saupoudrer de papri-ka et faire dorer dans le beurre chaud à feu modéré. Ajouter les champignons. Les remuer pour bien les enrober de beurre. Ajou-ter le jus de citron, le poivre, le sel et la marjolaine. Couvrir et cuire à 350°F (180°C), pendant 1 h à 1 h 15 environ. Mélanger la farine et la crème. Déposer le filet dans un plat de service. Ajouter le mélange de farine et de crème au bouillon du porc. Remuer en grattant le fond du plat. Assaisonner au goût. Verser sur le filet et servir.

Longe de porc désossée

Ingrédients	Impérial	Canadien	Européen
Longe de porc	3 à 4 lb	1,5 à 2 kg	1,5 à 2 kg
Oignon émincé	1	1	1
Ail	1 gousse	1 gousse	1 gousse
Eau	1 tasse	250 mL	2,5 dl
Moutarde sèche	$^1/_2$ c. à thé	2 mL	$^1/_2$ c. à café
Sel	$^1/_2$ c. à thé	2 mL	$^1/_2$ c. à café
Poivre	$^1/_2$ c. à thé	2 mL	$^1/_2$ c. à café

Position du sélecteur: ☒
Position de la grille: 1 ou 2

Inciser le rôti et y placer de petits morceaux d'ail. Saupoudrer le mélange de moutarde, de sel et de poivre. Dans une casserole allant au four, saisir le rôti de tous les côtés et ajouter l'oignon émincé. Déglacer le fond avec l'eau. Couvrir et cuire à 350°F (180°C), pendant 30 à 35 minutes par livre (500 g) environ. Arroser de temps à autre.

Rôti de porc aux pommes

Ingrédients	Impérial	Canadien	Européen
Rôti de porc dans l'épaule	3 à 4 lb	1,5 à 2 kg	1,5 à 2 kg
Clous de girofle entiers	au goût	au goût	au goût
Jus de pomme	1 tasse	250 mL	2,5 dl
Cassonade	1 tasse	250 mL	2,5 dl
Sel	1 c. à thé	5 mL	1 c. à café
Poivre	1/4 c. à thé	1 mL	1/4 c. à café
Moutarde sèche	1/2 c. à thé	2 mL	1/2 c. à café
Pommes rouges, pelées, coupées en quartiers	2 à 3	2 à 3	2 à 3

Position du sélecteur: ☒
Position de la grille: 1 ou 2

Enlever l'excès de gras sur le rôti et le piquer de clous de girofle entiers. Déposer dans un plat allant au four. Mélanger le jus de pomme, la cassonade, le sel, le poivre et la moutarde sèche. Verser sur le rôti. Couvrir et cuire à 350°F (180°C), pendant 30 à 35 minutes par livre (500 g) environ. Arroser de temps à autre. Cuire à découvert pendant la dernière demi-heure. Ajouter les quartiers de pomme. Laisser cuire jusqu'à ce que les quartiers soient tendres. Arroser de temps à autre.

Note: On peut épaissir la sauce avec de la fécule de maïs.

Côtes levées (*spareribs*)

Ingrédients	Impérial	Canadien	Européen
Côtes levées	2 à 2¹/₂ lb	1 à 1,25 kg	1 à 1,25 kg
Jus de citron	¹/₄ tasse	60 mL	6 cl
Miel liquide	¹/₄ tasse	60 mL	6 cl
Ananas en morceaux	1 tasse	250 mL	350 g
Sauce soya	1 c. à table	15 mL	1 c. à soupe
Ketchup rouge	1 c. à table	15 mL	1 c. à soupe
Oignon vert émincé	1	1	1
Oignon émincé	¹/₂ tasse	125 ml	75 g
Gousse d'ail émincée	1	1	1
Jus d'ananas	¹/₄ tasse	60 mL	6 cl
Miel liquide (pour glacer)	2 c. à table	30 mL	2 c. à soupe

Position du sélecteur:
Position de la grille: 2

Mettre les côtes dans un grand plat. Mélanger tous les ingrédients sauf les 2 c. à table (30 mL) de miel liquide. Verser sur les côtes. Couvrir et laisser mariner pendant 2 heures à la température de la pièce en les retournant toutes les 30 minutes. Égoutter soigneusement les côtes en les débarrassant de tous les ingrédients solides de la marinade. Conserver la marinade. Disposer les côtes dans une lèchefrite, os en dessous. Cuire à 450°F (230°C) pendant 20 à 25 minutes environ. Égoutter l'excès de gras. Réduire la chaleur à 350°F (180°C). Chauffer la marinade jusqu'à ébullition et verser sur les côtes. Cuire pendant 25 à 30 minutes environ, tout en arrosant de temps à autre. Cinq minutes avant la fin de la cuisson, glacer les côtes en les enduisant, à l'aide d'un pinceau, des 2 c. à table (30 mL) de miel.

Jambon garni

Ingrédients	Impérial	Canadien	Européen
Jambon roulé ou dans l'épaule	2¹/₂ à 3 lb	1,25 à 1,5 kg	1,25 à 1,5 kg
Clou de girofle	5	5	5
Eau	1 tasse	250 mL	2,5 dl
Cassonade	3 c. à table	45 mL	3 c. à soupe
Glace:			
Ananas	4 ou 5 tranches	4 ou 5 tranches	4 ou 5 tranches
Cassonade	2 c. à table	30 mL	2 c. à soupe
Jus d'ananas	¹/₄ tasse	60 mL	6 cl
Moutarde sèche	1 c. à thé	2 mL	1 c. à café
Cerises	quantité suffisante	quantité suffisante	quantité suffisante

Position du sélecteur: ☒
Position de la grille: 1 ou 2

Placer le jambon dans une casserole et ajouter le clou de girofle, l'eau et la cassonade. Couvrir et cuire à 350°F (180°C), pendant 25 à 35 minutes par livre (500 g) environ.

Retirer du jus et laisser refroidir. Placer dans une lèchefrite. Disposer les ananas sur le jambon en les retenant avec des curedents et déposer une cerise au centre de chaque tranche. Mélanger le jus, la moutarde et la cassonade et verser sur le jambon. Cuire à 350°F (180°C), pendant 10 à 15 minutes environ, puis servir.

Note: On peut remplacer les ananas et le jus d'ananas par la même quantité de pêches et de jus de pêche.

Chapitre IX

Le veau

- *Bifteck de veau au fromage*
- *Côtelettes de veau à l'estragon*
- *Côtelettes de veau aux tomates*
- *Escalopes de veau au jambon*
- *Escalopes de veau tendreté*
- *Longe de veau rôtie*
- *Pain de veau*
- *Rôti de veau aux pommes*
- *Veau à la sauce créole*
- *Veau en cubes*

Tableau de cuisson pour le veau

Variété et coupe de viande	Poids approximatif	Position de la grille	Température du four non préchauffé	Méthode de cuisson	Température interne en fin de cuisson	Temps de cuisson approximatif (min/lb (500 g)
Longe	2 ½ lb (1,25 kg)	1	325°F (162°C)	✗	170°F (76°C)	30 à 35 min
Épaule non roulée	2 ½ à 3 lb (1,25 à 1,5 kg)	1	325°F (162°C)	✗	170°F (76°C)	35 à 40 min
Croupe	3 ½ à 4 lb (1,75 à 2 kg)	1	325°F (162°C)	✗	170°F (76°C)	45 à 50 min
Côtelettes	1 à 1 ½ lb (500 à 750 g)	1	350°F (180°C)	✗		45 à 50 min

Note: Les données de ce tableau ont été essayées avec les recettes de ce livre.

Bifteck de veau au fromage

Ingrédients	Impérial	Canadien	Européen
Bifteck de veau **(4 à 6 tranches)**	1 à 1$^1/_2$ lb	500 à 750 g	500 à 750 g
Beurre	2 c. à table	30 mL	2 c. à soupe
Sel	au goût	au goût	au goût
Poivre	au goût	au goût	au goût
Bacon	4 à 6 tranches	4 à 6 tranches	4 à 6 tranches
Mozzarella râpée	quantité suffisante	quantité suffisante	quantité suffisante

Position du sélecteur:
Position de la grille: 1

Fondre le beurre dans un poêlon, ajouter les tranches de bifteck et les faire dorer en les retournant. Assaisonner de sel et de poivre vers la fin de la cuisson. Les déposer dans un plat allant au four. Déposer une tranche de bacon sur chaque tranche de bifteck. Couvrir et cuire à 350°F (180°C), sur la grille n° 1, pendant 45 minutes environ. Ajouter le fromage râpé et remettre au four (couvert ou à découvert) pendant 15 à 20 minutes environ.

Côtelettes de veau à l'estragon

Ingrédients	Impérial	Canadien	Européen
Côtelettes de veau (¹/₂ po/1,25 cm)	4 à 6	4 à 6	4 à 6
Poudre d'oignon	1 c. à thé	5 mL	1 c. à café
Estragon haché	1 pincée	1 pincée	1 pincée
Poivre	au goût	au goût	au goût

Position du sélecteur: 🔲
Position de la grille: 3 ou 4

Préchauffer le four à 550°F (288°C).

Saupoudrer des deux côtés les côtelettes avec la poudre d'oignon, l'estragon et le poivre. Voici deux façons différentes de cuire les côtelettes.

1- Déposer les côtelettes sur la grille du four en position n° 4 en plaçant une lèchefrite en dessous, sur la grille n° 3.

2- Déposer les côtelettes sur la grille de la lèchefrite et déposer celle-ci sur la grille n° 3.

Taillader les côtés des côtelettes.

Cuire à gril à 550°F (288°C) pendant environ:

6 minutes pour à point (médium) (4 minutes d'un côté et 2 minutes de l'autre).

7 minutes pour bien cuit (4 minutes d'un côté et 3 à 4 minutes de l'autre).

Côtelettes de veau aux tomates

Ingrédients	Impérial	Canadien	Européen
Côtelettes de veau (¹/₄ po/0,6 cm)	6 à 8	6 à 8	6 à 8
Beurre	quantité suffisante	quantité suffisante	quantité suffisante
Oignon émincé	1	1	1
Sel	au goût	au goût	au goût
Poivre	au goût	au goût	au goût
Eau	¹/₂ tasse	125 mL	1,25 dl
Tomate	1 boîte de 28 oz	1 boîte de 796 mL	360 g

Position du sélecteur:
Position de la grille: 1

Fondre le beurre dans un poêlon, ajouter les côtelettes et les faire dorer en les retournant souvent. Assaisonner de sel et de poivre vers la fin de la cuisson. Les déposer dans un plat allant au four. Faire revenir l'oignon dans le poêlon et ajouter aux côtelettes. Ajouter l'eau dans le poêlon et déglacer. Ajouter les tomates et amener à ébullition. Verser sur les côtelettes. Couvrir et cuire à 350°F (180°C) pendant 50 à 55 minutes environ.

Escalopes de veau au jambon

Ingrédients	Impérial	Canadien	Européen
Escalopes de veau	1 à 1¹/₂ lb	500 à 750 g	500 à 750 g
Beurre	1 à 2 c. à table	15 à 30 mL	1 à 2 c. à soupe
Champignons frais tranchés	¹/₂ tasse	125 mL	45 g
Oignon émincé	1	1	1
Jambon cuit, tranché mince	1 tranche par escalope	1 tranche par escalope	1 tranche par escalope

Position du sélecteur:
Position de la grille: 1

Placer les tranches de veau entre deux feuilles de papier ciré et les aplatir à l'aide d'un maillet. Fondre le beurre, y faire dorer les escalopes. Retirer les escalopes et ajouter les champignons et l'oignon. Cuire pour attendrir. Déposer une tranche de jambon sur chaque escalope, ajouter les champignons et les oignons. Rouler et attacher. Déposer dans un moule en pyrex de 8 x 8 po (20 x 20 cm). Cuire à 350°F (180°C), pendant 20 à 25 minutes environ.

Vous pouvez, si désiré, saupoudrer de parmesan râpé avant la cuisson.

Servir avec une sauce brune.

Escalopes de veau tendreté

Ingrédients	Impérial	Canadien	Européen
Escalopes de veau minces (¹/₈ po/0,3 cm)	1 lb	500 g	0,5 kg
Oeuf battu	1	1	1
Chapelure	quantité suffisante	quantité suffisante	quantité suffisante
Huile végétale	¹/₄ à ¹/₂ tasse	60 à 125 mL	6 cl à 1,25 dl
Tomates en conserve	1 boîte de 19 oz	1 boîte de 540 mL	245 g
Parmesan et/ou mozzarella râpé très finement	quantité suffisante	quantité suffisante	quantité suffisante

Position du sélecteur:
Position de la grille: 1

Passer les escalopes dans l'oeuf battu, puis dans la chapelure. Chauffer l'huile dans un poêlon et y faire brunir le veau. Dans un plat de cuisson rectangulaire de 13 x 9 po (33 x 23 cm), déposer le veau, les tomates et le fromage. Cuire à 350°F (180°C) pendant 20 à 25 minutes environ.

Note: On peut aussi, si on le désire, faire brunir à gril pendant quelques minutes.

Longe de veau rôtie

Ingrédients	Impérial	Canadien	Européen
Longe de veau	2^1/$_2$ lb	1,25 kg	1,25 kg
Sel	au goût	au goût	au goût
Poivre	au goût	au goût	au goût
Farine	quantité suffisante	quantité suffisante	quantité suffisante
Beurre	^{1}/$_4$ tasse	60 mL	60 g
Eau chaude	^{1}/$_2$ tasse	125 mL	1,25 dl
Fécule de maïs	1 à 2 c. à table	15 à 20 mL	1 à 2 c. à soupe

Position du sélecteur:
Position de la grille: 1

Essuyer la viande, saupoudrer de sel, de poivre et de farine. Fondre le beurre dans une cocotte profonde, ajouter le veau et faire revenir le morceau de viande. Remuer souvent pour qu'il ne brûle pas. Ajouter ^{1}/$_2$ tasse (125 mL) d'eau chaude et bien couvrir. Cuire à 325°F (162°C) pendant environ 30 à 35 minutes par livre (500 g). Ajouter de l'eau, si nécessaire, durant la cuisson. Cuire à découvert pendant les dernières 30 minutes. Retirer la viande du plat de cuisson, épaissir le liquide avec la fécule de maïs diluée dans un peu d'eau. Assaisonner au goût, si nécessaire.

Pain de veau

Ingrédients	Impérial	Canadien	Européen
Veau haché	1¹/₂ lb	750 g	750 g
Boeuf haché	¹/₂ lb	250 g	250 g
Chapelure	²/₃ tasse	160 mL	80 g
Oeuf	1	1	1
Oignon émincé	1	1	1
Céleri émincé	¹/₃ tasse	80 mL	45 g
Sel	au goût	au goût	au goût
Poivre	au goût	au goût	au goût
Persil haché	1 c. à table	15 mL	1 c. à soupe
Soupe aux tomates condensée	¹/₂ boîte de 10 oz	¹/₂ boîte de 284 mL	2,8 dl
Sauce:			
Soupe aux tomates condensée	¹/₂ boîte de 10 oz	¹/₂ boîte de 284 mL	2,8 dl
Eau	²/₃ tasse	180 mL	1,8 dl
Sauce chili	¹/₄ tasse	60 mL	6 cl
Sucre brun (facultatif)	2 c. à table	30 mL	2 c. à soupe

Position du sélecteur:
Position de la grille: 1

Mélanger le veau, le boeuf, la chapelure, l'oeuf battu, l'oignon, le céleri, le sel et le poivre, le persil et la soupe aux tomates. Cuire dans un moule de pyrex de 9 x 5 po (23 cm x 13 cm) à 325°F (162°C) pendant environ 50 à 60 minutes. Dans une casserole, mélanger les ingrédients de la sauce. Amener à ébullition et cuire à feu doux pendant 5 à 10 minutes. Servir chaude avec le pain de veau.

Rôti de veau aux pommes

Ingrédients	Impérial	Canadien	Européen
Épaule de veau non roulée	2¹/₂ à 3 lb	1,25 à 1,5 kg	1,25 à 1,5 kg
Sel	1 c. à thé	5 mL	1 c. à café
Poivre	¹/₄ c. à thé	1 mL	¹/₄ c. à café
Moutarde préparée	1 c. à thé	5 mL	1 c. à café
Huile végétale	¹/₂ tasse	125 mL	1,25 dl
Lard salé	4 tranches	4 tranches	4 tranches
Pommes en quartiers	3	3	3
Carottes émincées	¹/₂ tasse	125 mL	60 g
Oignons en quartiers	1	1	1
Céleri émincé	¹/₂ tasse	125 mL	70 g
Fécule de maïs	quantité suffisante	quantité suffisante	quantité suffisante
Bouillon de boeuf	2 boîtes de 10 oz	2 boîtes de 284 mL	2,8 dl

Position du sélecteur:
Position de la grille: 1

Saler et poivrer le rôti. L'enduire de moutarde préparée. Faire dorer l'huile chaude dans une cocotte. Retirer le surplus d'huile. Ajouter les tranches de lard salé sur le dessus du rôti. Couvrir et cuire à 325°F (162°C) pendant 35 à 40 minutes par lb (500 g). Environ 30 minutes avant la fin de la cuisson ajouter les pommes, l'oignon, les carottes et le céleri. Continuer la cuisson à couvert. Après la cuisson, retirer la viande et les légumes. Amener le liquide à ébullition, puis épaissir avec de la fécule de maïs diluée dans un peu d'eau. Cuire quelques instants et ajouter le bouillon de boeuf. Faire réduire de moitié à feu doux. Remettre le rôti désossé et les légumes.

Pain
(H. Armstrong Roberts/Agence Réflexion)

Jambon garni
(Ralph B. Pleasant/Agence Réflexion)

Dinde rôtie
(L. Fritz/Agence Réflexion)

Quiche aux champignons
(L. Fritz/Agence Réflexion)

Pizza
(Anne Gordon/Agence Réflexion)

Biscuits aux grains de chocolat
(Miller Services/Agence Réflexion)

Escalopes de veau tendreté
(Agence Réflexion)

Tarte au chocolat
(Miller Services/Agence Réflexion)

Veau à la sauce créole

Ingrédients	Impérial	Canadien	Européen
Rôti dans la croupe	3 à 4 lb	1,5 à 2 kg	1,5 à 2 kg
Beurre	quantité suffisante	quantité suffisante	quantité suffisante
Sel	au goût	au goût	au goût
Poivre	au goût	au goût	au goût
Bacon	4 tranches	4 tranches	4 tranches
Graisse du rôti	3 c. à table	45 mL	3 c. à soupe
Oignon émincé	$^1/_4$ tasse	60 mL	35 g
Ail émincé	1 gousse	1 gousse	1 gousse
Farine	1 c. à table	15 mL	1 c. à soupe
Tomates en conserve	2 tasses	500 mL	230 g
Champignons tranchés	$^1/_2$ tasse	125 mL	45 g
Sel	$^1/_2$ c. à thé	2 mL	$^1/_2$ c. à café
Poivre	$^1/_8$ c. à thé	0,5 mL	$^1/_8$ c. à café
Sucre	1 c. à thé	5 mL	1 c. à café
Persil haché	1 c. à table	15 mL	1 c. à soupe

Position du sélecteur:
Position de la grille: 1

Fondre le beurre dans un poêlon. Faire dorer le rôti et assaisonner. Déposer le rôti dans une rôtissoire. Placer les tranches de bacon sur le dessus. Couvrir et cuire à 325°F (162°C) pendant environ 45 à 50 min par lb (500 g). Les dernières 30 minutes de cuisson peuvent se faire à découvert. Trancher et servir avec la sauce suivante: chauffer la graisse du rôti, puis ajouter l'oignon et l'ail. Chauffer pour attendrir les légumes. Ajouter la farine, les tomates, les champignons, le sel, le poivre et le sucre. Cuire jusqu'à épaississement. Ajouter le persil.

Veau en cubes

Ingrédients	Impérial	Canadien	Européen
Huile	$^1/_4$ à $^1/_2$ tasse	60 à 80 mL	6 à 8 cl
Veau en cubes de 1 po (2,5 cm)	2 lb	1 kg	2 lb
Oignons émincés	1 tasse	125 mL	75 g
Céleri haché	1 tasse	125 mL	70 g
Ail émincé	1 gousse	1 gousse	1 gousse
Vin blanc sec	$^1/_2$ tasse	125 mL	1,25 dl
Sauce tomate	1 tasse	125 mL	1,25 dl
Feuilles de laurier	2	2	2
Origan séché	$^1/_2$ c. à thé	2 mL	$^1/_2$ c. à café
Romarin séché	$^1/_4$ c. à thé	1 mL	$^1/_4$ c. à café
Sel	1 c. à thé	5 mL	1 c. à café
Poivre	$^1/_2$ c. à thé	2 mL	$^1/_2$ c. à café
Persil	1 c. à thé	5 mL	1 c. à café

Position du sélecteur:
Position de la grille: 1

Chauffer l'huile dans une rôtissoire. Ajouter les cubes de veau. Faire sauter jusqu'à ce que ce soit doré de toutes parts. Retirer le veau. Dans la rôtissoire, cuire l'oignon, le céleri et l'ail en remuant jusqu'à ce que l'oignon soit doré. Verser le vin blanc, puis ajouter la sauce tomate, les feuilles de laurier, l'origan, le romarin, le sel, le poivre, le persil et le veau. Amener à ébullition. Couvrir et cuire à 325°F (162°C) pendant 50 à 60 minutes environ. Retirer les feuilles de laurier et servir.

Chapitre X

Les poissons et les fruits de mer

- *Filets de poisson sauce tomate*
- *Filets de sole farcis*
- *Pâté au saumon*
- *Poisson grillé au four*
- *Truite farcie au four*
- *Crevettes en casserole*
- *Crevettes grillées*
- *Huîtres en coquilles*
- *Langoustines à l'ail*

Filets de poisson sauce tomate

Ingrédients	Impérial	Canadien	Européen
Filets de poisson	1 lb	500 g	0,5 kg
Sel d'ail (facultatif)	$^1/_2$ c. à thé	2 mL	$^1/_2$ c. à café
Beurre	4 c. à table	60 mL	4 c. à soupe
Oignons hachés finement	2 c. à table	30 mL	2 c. à soupe
Sauce tomate	1 boîte de 7$^1/_2$ oz	1 boîte de 213 mL	2,1 dl
Eau	$^1/_4$ tasse	60 mL	6 cl
Sel	$^1/_2$ c. à thé	2 mL	$^1/_2$ c. à café
Poivre	$^1/_4$ c. à thé	1 mL	$^1/_4$ c. à café
Sauge	$^1/_8$ c. à thé	0,5 mL	$^1/_8$ c. à café
Feuille de laurier	1	1	1
Persil	au goût	au goût	au goût

Position du sélecteur:
Position de la grille: 2

Déposer le filet dans un plat de cuisson de 8 x 8 po (20 x 20 cm). Saupoudrer de sel d'ail. Fondre le beurre, ajouter les oignons, faire blondir, puis ajouter tous les autres ingrédients sauf le persil. Verser la sauce sur le poisson. Saupoudrer de persil.

Cuire à 350°F (180°C) pendant 20 à 25 minutes.

Servir sur un lit de riz.

Filets de sole farcis

Ingrédients	Impérial	Canadien	Européen
Filets de sole	1 lb	500 g	0,5 kg
Concombre râpé et égoutté	1/4 tasse	60 mL	50 g
Chapelure	1/4 tasse	60 mL	30 g
Sauce Worcestershire	1/8 c. à thé	0,5 mL	1/8 c. à café
Lait	quantité suffisante	quantité suffisante	quantité suffisante
Farine	quantité suffisante	quantité suffisante	quantité suffisante
Beurre	2 c. à table	30 mL	2 c. à soupe
Oignon émincé	2 tasses	500 mL	300 g
Sel	au goût	au goût	au goût
Poivre	au goût	au goût	au goût
Beurre fondu	2 c. à table	30 mL	2 c. à soupe
Crème de céleri	1 boîte de 10 oz	1 boîte de 284 mL	2,8 dl
Lait	1/2 tasse	125 mL	1,25 dl
Parmesan	3 c. à table	45 mL	3 c. à soupe

Position du sélecteur:
Position de la grille: 2

Essuyer parfaitement les filets de sole. Mélanger le concombre, la chapelure et la sauce Worcestershire. Humecter avec un peu de lait. Diviser le mélange entre chaque filet. Rouler et attacher avec un cure-dent. Saupoudrer de farine. Faire dorer les oignons dans le beurre. Saler et poivrer. Verser dans un plat de cuisson de 8 x 8 po (20 x 20 cm). Déposer les filets sur les oignons. Badigeonner de beurre fondu. Cuire à 350°F (180°C), sur la grille n° 2, pendant 15 minutes. Enlever les cure-dents. Mélanger la crème de céleri et le lait, amener à ébullition sur feu moyen et verser sur le poisson. Saupoudrer de parmesan et poursuivre la cuisson pendant 5 minutes environ. Passer à gril pour dorer. Décorer de persil.

Pâté au saumon

Ingrédients	Impérial	Canadien	Européen
Abaisses de tarte, non cuites	2	2	2
Pommes de terre en purée	2 à 3 tasses	500 à 750 mL	415 à 625 g
Beurre	1 c. à table	15 mL	1 c. à soupe
Oignon émincé	1	1	1
Céleri émincé	1/4 tasse	60 mL	35 g
Sel	au goût	au goût	au goût
Poivre	au goût	au goût	au goût
Saumon	1 boîte de 15 1/2 oz	1 boîte de 439 g	439 g
Beurre	1/2 c. à table	7,5 mL	1/2 c. à soupe

Position du sélecteur:
Position de la grille: 2

Préchauffer le four à 375°F (190°C).

Faire revenir l'oignon et le céleri dans le beurre. Ajouter aux pommes de terre en purée, saler et poivrer, ajouter le beurre et le saumon égoutté et émietté.

Déposer le mélange dans une abaisse à tarte de 9 à 10 po (23 à 25 cm). Couvrir avec l'autre abaisse. Cuire à 375°F (190°C), pendant 30 à 35 minutes environ.

Servir avec une sauce aux oeufs ou une sauce blanche.

Note: Au moment de réduire les pommes de terre en purée, il ne faut pas ajouter de lait, mais seulement un peu de beurre.

Poisson grillé au four

Ingrédients	Impérial	Canadien	Européen
Poisson (4 filets)	1 lb	500 g	0,5 kg
Jus de citron	2 c. à table	30 mL	2 c. à soupe
Persil haché	2 c. à table	30 mL	2 c. à soupe
Huile	2 c. à table	30 mL	2 c. à soupe
Sel	$^1/_2$ c. à thé	2 mL	$^1/_2$ c. à café

Position du sélecteur:
Position de la grille: 4

Préchauffer le four à gril, à 550°F (288°C).

Déposer les filets de poisson sur la grille de la rôtissoire. Arroser les filets avec le jus de citron. Badigeonner d'huile. Saler et parsemer de persil haché. Cuire à 550°F (288°C) pendant 4 à 6 minutes environ selon l'épaisseur des filets.

Truite farcie au four

Ingrédients	Impérial	Canadien	Européen
Truites (¹/₂ lb/250 g chacune)	**2**	**2**	**2**
Farce:			
Beurre	1 c. à table	15 mL	1 c. à soupe
Céleri émincé	¹/₄ tasse	60 mL	35 g
Oignon émincé	1 c. à table	15 mL	1 c. à soupe
Champignons hachés	¹/₄ tasse	60 mL	20 g
Sel	au goût	au goût	au goût
Poivre	au goût	au goût	au goût
Jus de citron	1 c. à table	15 mL	1 c. à soupe
Beurre fondu	1 c. à table	15 mL	1 c. à soupe

Position du sélecteur:
Position de la grille: 3

Fondre le beurre, ajouter le céleri, l'oignon et les champignons. Faire cuire pour attendrir les légumes. Assaisonner de sel et de poivre. Apprêter l'intérieur des truites en badigeonnant de jus de citron et en assaisonnant. Farcir les truites et badigeonner de beurre fondu. Déposer sur la grille de la rôtissoire. Cuire à 400°F (200°C) pendant 15 à 20 minutes environ.

Crevettes en casserole

Ingrédients	Impérial	Canadien	Européen
Beurre	1 c. à table	15 mL	1 c. à soupe
Champignons tranchés	5 à 7 gros	5 à 7 gros	5 à 7 gros
Crevettes cuites	1 tasse	250 mL	225 g
Riz blanc cuit	1¹/₂ tasse	375 mL	250 mL
Cheddar râpé	1 à 1¹/₂ tasse	250 à 375 mL	150 à 225 g
Lait	¹/₂ tasse	125 mL	1,25 dl
Ketchup	¹/₄ tasse	60 mL	6 cl
Sauce Worcestershire	¹/₂ c. à thé	2 mL	¹/₂ c. à café
Sel	¹/₂ c. à thé	2 mL	¹/₂ c. à café

Position du sélecteur:
Position de la grille: 2

Faire fondre le beurre, ajouter les champignons et cuire pendant 4 à 5 minutes environ. Mélanger délicatement tous les autres ingrédients et ajouter les champignons. Verser dans un plat de cuisson et cuire à 325°F (162°C), pendant 20 à 25 minutes environ.

Crevettes grillées

Ingrédients	Impérial	Canadien	Européen
Crevettes crues (grosses)	**2 lb**	**1 kg**	**1 kg**
Huile d'olive	**$1/_3$ tasse**	**80 mL**	**8 cl**
Poivre	**$1/_4$ c. à thé**	**1 mL**	**$1/_4$ c. à café**
Sel	**$1/_2$ c. à thé**	**2 mL**	**$1/_2$ c. à café**
Persil haché finement	**2 c. à table**	**30 mL**	**2 c. à soupe**
Estragon	**$1/_8$ c. à thé**	**0,5 mL**	**$1/_8$ c. à café**
Beurre	**$1/_4$ tasse**	**60 mL**	**60 g**
Jus de citron	**3 c. à table**	**45 mL**	**3 c. à soupe**

Position du sélecteur:
Position de la grille: 3 ou 4

Préchauffer le four à 550°F (288°C).

Décortiquer et nettoyer les crevettes. Dans un petit plat, bien mêler l'huile, le sel, le poivre, le persil et l'estragon. Passer les crevettes dans le mélange pour bien les enrober. Placer sur une tôle à biscuits. Cuire à 550°F (288°C) à gril, pendant environ 2 à 3 minutes de chaque côté ou jusqu'à ce qu'elles soient cuites à point. Les déposer dans un plat de service chaud. Chauffer le beurre et le jus de citron. Ajouter le jus de cuisson des crevettes. Bien chauffer et verser sur les crevettes. Servir immédiatement sur du riz.

Note: On peut déposer le plat sur le gril de la rôtissoire, mais en position n° 3.

Huîtres en coquilles

Ingrédients	Impérial	Canadien	Européen
Huîtres	**12**	**12**	**12**
Beurre	**¹/₄ tasse**	**60 mL**	**60 g**
Oignon	**2 c. à table**	**30 mL**	**2 c. à soupe**
Persil haché finement	**1 c. à thé**	**5 mL**	**1 c. à café**
Jus de citron	**1 c. à thé**	**5 mL**	**1 c. à café**
Chapelure	**¹/₄ tasse**	**60 mL**	**30 g**
Bacon cuit, émietté	**¹/₄ tasse**	**60 mL**	**50 g**
Cheddar doux, râpé	**¹/₂ tasse**	**120 mL**	**75 g**

Position du sélecteur:
Position de la grille: 3

Préchauffer le four à 550°F (288°C).

Brosser les huîtres sous l'eau froide. Ouvrir et détacher le muscle de la coquille en évitant de perdre le liquide. Jeter la coquille du dessus. Placer les huîtres sur la grille de la rôtissoire. Fondre le beurre et y faire sauter l'oignon. Ajouter le persil et le jus de citron. Diviser ce mélange également entre chacune des huîtres. Mélanger la chapelure, le bacon et le fromage et répartir sur les huîtres. Cuire à 550°F (288°C) pendant environ 1 à 3 minutes ou le temps de brunir légèrement.

Langoustines à l'ail

Ingrédients	Impérial	Canadien	Européen
Langoustines	**24**	**24**	**24**
Beurre fondu	quantité suffisante	quantité suffisante	quantité suffisante
Ail émincé	1 à 2 gousses	1 à 2 gousses	1 à 2 gousses
Chapelure	quantité suffisante	quantité suffisante	quantité suffisante
Paprika	quantité suffisante	quantité suffisante	quantité suffisante

Position du sélecteur:
Position de la grille: 3

Préchauffer le four à 550°F (288°C).

Couper les langoustines sur le dos dans le sens de la longueur. Les ouvrir et les badigeonner de beurre à l'ail. Saupoudrer de chapelure et de paprika. Déposer sur la grille de la rôtissoire. Cuire à 550°F (288°C) pendant 5 à 10 minutes environ.

Chapitre XI

Les gâteaux

Tableau de cuisson pour les desserts

Produit	Grandeur du moule	Position de la grille	Température du four préchauffé	Méthode de cuisson	Temps de cuisson approximatif
GÂTEAU	rond - 8 à 9 po (20 à 23 cm)	2	325°F (162°C)	x	35-40 min
	carré — 8 à 9 po (20 à 23 cm)	2	325°F (162°C)	x	40-45 min
	rectangulaire 9 x 13 po (23 x 33 cm)	2	325°F (162°C)	x	50-55 min
	à pain	2	325°F (162°C)	x	55-60 min
	tubulaire	2	325°F (162°C)	x	50-55 min
TARTE*	2 abaisses (tarte couverte)	2	375°F (190°C)	x	30-40 min
	1 abaisse avec garniture	2	325-350°F (162-180°C)	x	30-40 min
	1 abaisse (fond de tarte)	2	400°F (200°C)	x	10-12 min.
MUFFINS	moule de 8	2	375°F (190°C)	x	15-20 min
BISCUITS	tôle	3	375°F (190°C)	x	10 min

Note: Les données de ce tableau ont été essayées avec les recettes de ce livre.

* Étant donné que la chaleur circule dans le four, il ne sera pas nécessaire de cuire les tartes à deux degrés différents de cuisson comme on le fait pour la cuisson conventionnelle. Le temps de cuisson peut varier selon la garniture pour tartes que l'on utilise.

Gâteau des anges

Ingrédients	Impérial	Canadien	Européen
Blancs d'oeufs	8	8	8
Crème de tartre	1 c. à thé	5 mL	1 c. à café
Sel	quelques grains	quelques grains	quelques grains
Sucre	1^1/$_2$ tasse	375 mL	345 g
Vanille	1 c. à thé	5 mL	1 c. à café
Farine tamisée	1 tasse	250 mL	150 g

Position du sélecteur:
Position de la grille: 2

Préchauffer le four à 325°F (162°C).

Fouetter les blancs d'oeufs, la crème de tartre et le sel jusqu'à consistance mousseuse et jusqu'à l'apparition de pics fermes. Incorporer le sucre et la vanille graduellement. Ajouter la farine à la meringue en pliant délicatement dans la pâte avec une spatule. Verser dans un moule tubulaire et sans aucune matière grasse. Cuire à 325°F (162°C) pendant 50 à 55 minutes environ. Sortir du four, renverser le moule et laisser le gâteau refroidir sans le retirer du moule. Couper avec un couteau dentelé au moment de servir.

Gâteau de la Forêt-Noire

Ingrédients	Impérial	Canadien	Européen
Carré de chocolat non sucré	3 oz	90 g	90 g
Beurre	1/2 tasse	125 mL	125 g
Cassonade	2 tasses	500 mL	510 g
Oeufs battus	2	2	2
Farine	2 tasses	500 mL	300 g
Bicarbonate de soude	1 c. à thé	5 mL	1 c. à café
Lait	1 tasse	250 mL	2,5 dl
Vanille	1¹/₂ c. à thé	7 mL	1¹/₂ c. à café
Garniture:			
Garniture pour tarte aux cerises	1 boîte de 28 oz	1 boîte de 796 mL	1,1 kg
Crème fouettée	2 tasses	500 mL	0,5 litre
Kirsch	au goût	au goût	au goût
Chocolat râpé	quantité suffisante	quantité suffisante	quantité suffisante
Cerises	quantité suffisante	quantité suffisante	quantité suffisante

Position du sélecteur:
Position de la grille: 2

Préchauffer le four à 325°F (162°C).

Fondre le chocolat au bain-marie. Défaire le beurre en crème, ajouter graduellement la cassonade et les oeufs battus. Tamiser la farine et le bicarbonate de soude. Ajouter les ingrédients secs en alternant avec le lait. Aromatiser. Verser dans 2 moules de 9 po (23 cm). Cuire à 325°F (162°C), pendant 35 à 40 minutes environ. Démouler et laisser refroidir.

Couper le gâteau en deux. Recouvrir chaque étage de crème fouettée aromatisée de kirsch. Étendre la garniture aux cerises. Recouvrir entièrement le gâteau de crème fouettée. Garnir de chocolat et de cerises.

Gâteau Reine-Élisabeth

Ingrédients	Impérial	Canadien	Européen
Dattes	$^3/_4$ tasse	180 mL	170 g
Eau	$^3/_4$ tasse	180 mL	1,8 dl
Oeufs	1	1	1
Sucre	1 tasse	250 mL	230 g
Huile végétale	$^3/_4$ tasse	180 mL	1,8 dl
Vanille	$1^1/_2$ c. à thé	7 mL	$1^1/_2$ c. à café
Farine	$1^1/_2$ tasse	375 mL	230 g
Poudre à pâte	1 c. à thé	5 mL	1 c. à café
Bicarbonate de soude	$^1/_2$ c. à thé	2 mL	$^1/_2$ c. à café
Sel	$^1/_2$ c. à thé	2 mL	$^1/_2$ c. à café

Position du sélecteur:
Position de la grille: 2

Préchauffer le four à 325°F (162°C).
Laisser tremper les dattes dans l'eau et cuire pendant quelques minutes. Battre l'oeuf, ajouter le sucre, l'huile et la vanille. Tamiser la farine, la poudre à pâte, le bicarbonate de soude et le sel. Ajouter les ingrédients secs en alternant avec le mélange de dattes et d'eau. Déposer dans un moule rectangulaire. Cuire à 325°F (162°C), pendant 50 à 55 minutes environ.

Glace:

Ingrédients	Impérial	Canadien	Européen
Beurre	3 c. à table	45 mL	3 c. à soupe
Cassonade	$1^1/_2$ tasse	375 mL	380 g
Noix	$^1/_2$ tasse	125 mL	80 g
Noix de coco râpée	$^1/_2$ tasse	125 mL	160 g
Crème légère (15 %)	$^1/_4$ tasse	60 mL	6 cl

Fondre le beurre. Mélanger tous les ingrédients avec la crème de table jusqu'à ce que le mélange soit lisse et assez clair. Verser sur le gâteau cuit et remettre au four à *grillage* le temps de griller.

Gâteau surprise

Ingrédients	Impérial	Canadien	Européen
Beurre	2 c. à table	30 mL	2 c. à soupe
Sucre	$^3/_4$ tasse	180 mL	165 g
Jaunes d'oeufs	3	3	3
Farine	1$^1/_2$ tasse	375 mL	230 g
Levure chimique (poudre à pâte)	2$^1/_2$ c. à thé	12 mL	2$^1/_2$ c. à café
Lait	$^2/_3$ tasse	170 mL	1,7 dl
Blancs d'oeufs	3	3	3
Cassonade	2 tasses	500 mL	510 g
Noix de coco râpée	$^1/_3$ tasse	80 mL	105 g

Position du sélecteur:
Position de la grille: 2

Préchauffer le four à 325°F (162°C).

Défaire le beurre en crème. Ajouter le sucre et les jaunes d'oeufs. Tamiser la farine et la poudre à pâte. Ajouter les ingrédients secs en alternant avec le lait. Verser dans un moule beurré carré. Battre les blancs d'oeufs. Ajouter la cassonade. Étendre sur la pâte. Recouvrir de noix de coco. Cuire à 325°F (162°C), pendant 40 à 45 minutes environ.

Gâteau vite fait

Ingrédients	Impérial	Canadien	Européen
Huile	$^1/_3$ tasse	80 ml	8 cl
Carrés de chocolat non sucré	2	2	2
Eau	$^3/_4$ tasse	180 mL	1,8 dl
Sucre	1 tasse	250 mL	230 g
Oeuf battu	1	1	1
Vanille	$1^1/_2$ c. à thé	7 mL	$1^1/_2$ c. à café
Farine	$1^1/_4$ tasse	310 mL	190 g
Bicarbonate de soude	$^1/_2$ c. à thé	2 mL	$^1/_2$ c. à café
Sel	$^1/_2$ c. à thé	2 mL	$^1/_2$ c. à café
Grains de chocolat	6 oz	180 g	180 g
Noix hachées	$^1/_3$ tasse	80 mL	50 g
Cerises hachées (vertes et/ou rouges)	au goût	au goût	au goût

Position du sélecteur: ☒
Position de la grille: 2

Préchauffer le four à 325°F (162°C).

Chauffer l'huile et le chocolat. Ajouter l'eau, le sucre, l'oeuf battu et la vanille. Tamiser les ingrédients secs, et ajouter au mélange. Remuer jusqu'à consistance lisse et crémeuse. Bien étendre dans le moule carré. Parsemer de grains de chocolat, de noix et de cerises. Cuire à 325°F (162°C), pendant 40 à 45 minutes environ.

Jos-Louis

Ingrédients	Impérial	Canadien	Européen
Shortening	$^1/_2$ tasse	125 mL	90 g
Sucre	1 tasse	250 mL	230 g
Oeufs	2	2	2
Lait	1 tasse	250 mL	2,5 dl
Vanille	1 c. à thé	5 mL	1 c. à café
Farine	$1^3/_4$ tasse	440 mL	270 g
Levure chimique (poudre à pâte)	2 c. à thé	10 mL	2 c. à café
Bicarbonate de soude	1 c. à thé	5 mL	1 c. à café
Sel	1 c. à thé	5 mL	1 c. à café
Cacao	3 c. à table	45 mL	3 c. à soupe

Position du sélecteur:
Position de la grille: 2

Préchauffer le four à 350°F (180°C).
Défaire le shortening en crème, ajouter le sucre. Bien mélanger. Ajouter les oeufs battus. Mélanger le lait et la vanille. Mélanger les ingrédients secs. Ajouter au premier mélange en alternant avec le liquide. Bien remuer. Déposer par cuillerées sur 2 tôles graissées. Étendre légèrement le mélange. Cuire à 350°F (180°C), pendant 8 à 10 minutes environ. Laisser tiédir et couper chaque gâteau horizontalement en 2.

Garniture pour le centre des gâteaux:

Ingrédients	Impérial	Canadien	Européen
Shortening	$^1/_2$ tasse	125 mL	90 g
Sucre glace	2 tasses	500 mL	310 g
Lait évaporé	$^1/_4$ tasse	60 mL	6 cl

Défaire le shortening en crème et ajouter en alternant le sucre glace et le lait évaporé. Bien mélanger.

Garnir chaque moitié des gâteaux de garniture et couvrir avec l'autre moitié du gâteau.

Glace:

Ingrédients	Impérial	Canadien	Européen
Beurre	¹/₄ tasse	60 mL	60 g
Cacao	3 c. à table	45 mL	3 c. à soupe
Sucre glace	1¹/₂ à 2 tasses	375 à 500 mL	235 à 310 g
Eau chaude	2 à 3 c. à table	30 à 45 mL	2 à 3 c. à soupe
Vanille	¹/₂ c. à thé	2 mL	¹/₂ c. à café

Fondre le beurre à feu doux. Retirer du feu et ajouter le cacao. Bien mélanger. Ajouter en remuant le sucre glace en alternant avec l'eau chaude et la vanille. Verser sur les gâteaux.

Pain de miel et d'épices

Ingrédients	Impérial	Canadien	Européen
Lait	$^1/_3$ tasse	80 mL	8 cl
Cassonade	$^2/_3$ tasse	160 mL	165 g
Farine	1$^3/_4$ tasse	430 mL	260 g
Levure chimique (poudre à pâte)	1$^1/_4$ c. à thé	6 mL	1$^1/_4$ c. à café
Cannelle	$^1/_2$ c. à thé	2 mL	$^1/_2$ c. à café
Muscade	$^1/_2$ c. à thé	2 mL	$^1/_2$ c. à café
Clou de girofle moulu	$^1/_8$ c. à thé	0,5 mL	$^1/_8$ c. à café
Oeufs battus	2	2	2
Huile	$^1/_3$ tasse	80 mL	8 cl
Miel	$^1/_2$ tasse	125 mL	1,25 dl
Sucre glace	$^1/_3$ à $^1/_2$ tasse	80 à 125 mL	50 à 80 g
Lait	1 à 2 c. à thé	5 à 10 mL	1 à 2 c. à café

Position du sélecteur: ☒
Position de la grille: 2

Préchauffer le four à 325°F (162°C).

Dans une casserole, mélanger le lait et la cassonade, et cuire à feu doux en remuant pour faire fondre la cassonade. Tamiser la farine, la levure chimique (poudre à pâte), la cannelle, la muscade et le clou de girofle. Battre les oeufs. Ajouter l'huile et le miel. Ajouter les ingrédients secs en alternant avec le mélange de lait et de cassonade. Verser dans un moule graissé enfariné de 8 x 4 x 2 po (20 x 10 x 5 cm). Cuire à 325°F (162°C), pendant 55 à 60 minutes environ. Couvrir de papier d'aluminium les 15 dernières minutes.

Glace:

Mélanger le sucre glace et le lait, et verser sur le gâteau.

Chapitre XII

Les muffins

- *Muffins à l'orange*
- *Muffins au beurre d'arachide*
- *Muffins au gruau et aux bleuets*
- *Muffins au son et aux bananes*
- *Muffins au son et aux raisins*

Muffins à l'orange

Ingrédients	Impérial	Canadien	Européen
Farine	2 tasses	500 mL	300 g
Levure chimique (poudre à pâte)	2 c. à thé	10 mL	2 c. à café
Sel	1 c. à thé	5 mL	1 c. à café
Bicarbonate de soude	$1/4$ c. à thé	1 mL	$1/4$ c. à café
Sucre	$1/2$ tasse	125 mL	115 g
Zeste d'orange râpé	1 c. à thé	5 mL	1 c. à café
Jus d'orange	$2/3$ tasse	160 mL	1,6 dl
Beurre fondu	$1/2$ tasse	125 mL	125 g
Vanille	1 c. à thé	5 mL	1 c. à café
Oeufs battus	2	2	2
Noix hachées	$1/2$ tasse	125 mL	80 g
Farine	1 c. à table	15 mL	1 c. à soupe
Sucre brun	$1/4$ tasse	60 mL	60 g
Cannelle	$1/2$ c. à thé	2 mL	$1/2$ c. à café
Beurre fondu	1 c. à table	15 mL	1 c. à soupe

Position du sélecteur: ☒
Position de la grille: 2

Préchauffer le four à 375°F (190°C).

Mélanger ensemble la farine, la poudre à pâte, le bicarbonate de soude et le sel. Ajouter le sucre et le zeste d'orange. Mélanger le jus d'orange, le beurre fondu, les oeufs battus, la vanille et les noix. Incorporer en une seule fois aux ingrédients secs. Remuer à l'aide d'une fourchette jusqu'à ce que le mélange soit homogène. Garnir 2 moules de 8 muffins de tasses de papier. Diviser la pâte uniformément dans chacun des moules. Mélanger la farine, le sucre brun, la cannelle et le beurre fondu. Saupoudrer les muffins de ce mélange. Cuire à 375°F (190°C), pendant 15 à 20 minutes environ.

Donne 16 muffins.

Muffins au beurre d'arachide

Ingrédients	Impérial	Canadien	Européen
Farine de blé entier	1 tasse	250 mL	130 g
Farine tout usage	1 tasse	250 mL	200 g
Levure chimique (poudre à pâte)	2 c. à thé	10 mL	2 c. à café
Bicarbonate de soude	1 c. à thé	5 mL	1 c. à café
Sel	$^1/_4$ c. à thé	1 mL	$^1/_4$ c. à café
Oeufs battus	2	2	2
Miel liquide	$^1/_2$ tasse	125 mL	1,25 dl
Huile	$^1/_4$ tasse	60 mL	6 cl
Lait sur	1 tasse	250 mL	2,5 dl
Beurre d'arachide	1 tasse	250 mL	280 ml
Vanille	$1^1/_2$ c. à thé	7 mL	$1^1/_2$ c. à café

Position du sélecteur:
Position de la grille: 2

Préchauffer le four à 375°F (190°C).

Mélanger ensemble la farine de blé entier, la farine, la levure chimique (poudre à pâte), le bicarbonate de soude et le sel. Battre l'oeuf, ajouter le miel, l'huile, le lait sur, le beurre d'arachide et la vanille. Incorporer en une seule fois aux ingrédients secs. Mélanger à l'aide d'une fourchette jusqu'à ce que le mélange soit homogène. Garnir 2 moules de 8 muffins de tasses de papier. Diviser la pâte uniformément dans chacun des moules. Cuire à 375°F (190°) pendant 15 à 20 minutes environ.

Donne 16 muffins.

Muffins au gruau et aux bleuets

Ingrédients	Impérial	Canadien	Européen
Gruau	1 tasse	250 mL	175 g
Lait sur	1 tasse	250 mL	2,5 dl
Farine	1 tasse	250 mL	150 g
Levure chimique (poudre à pâte)	1 c. à thé	5 mL	1 c. à café
Bicarbonate de soude	$^1/_2$ c. à thé	2 mL	$^1/_2$ c. à café
Sel	$^1/_2$ c. à thé	2 mL	$^1/_2$ c. à café
Cassonade légèrement pressée	1 tasse	250 mL	255 g
Oeuf battu	1	1	1
Beurre fondu	$^1/_4$ tasse	60 mL	60 g
Bleuets (myrtilles)	1 tasse	250 mL	165 g

Position du sélecteur:
Position de la grille: 2

Préchauffer le four à 375°F (190°C).

Mélanger le gruau et le lait, et laisser reposer. Mélanger la farine, la poudre à pâte, le bicarbonate de soude et le sel. Ajouter la cassonade. Incorporer l'oeuf battu et le beurre fondu au mélange de gruau. Ajouter les ingrédients secs en remuant à l'aide d'une fourchette. Ajouter délicatement les bleuets. Garnir 2 moules de 8 muffins, de tasses de papier. Diviser la pâte uniformément dans chacun des moules. Cuire à 375°F (190°C), pendant 15 à 20 minutes environ.

Donne 16 muffins.

Note: Ne pas décongeler les bleuets avant de les utiliser pour éviter de tacher la pâte.

122

Muffins au son et aux bananes

Ingrédients	Impérial	Canadien	Européen
Farine	1¹/₄ tasse	310 mL	190 g
Son (céréale de)	¹/₂ tasse	125 mL	25 g
Germe de blé	¹/₃ tasse	80 mL	40 g
Levure chimique (poudre à pâte)	1 c. à thé	5 mL	1 c. à café
Bicarbonate de soude	1 c. à thé	5 mL	1 c. à café
Sel	1 pincée	1 pincée	1 pincée
Sucre brun	¹/₂ tasse	125 mL	125 g
Oeuf	1	1	1
Bananes en purée	²/₃ tasse	160 mL	180 g
Lait sur	¹/₂ tasse	125 mL	1,25 dl
Mélasse	1¹/₂ c. à table	22 mL	1¹/₂ c. à soupe
Raisins secs	¹/₂ tasse	125 mL	100 g
Noix hachées	1 tasse	250 mL	165 g

Position du sélecteur:
Position de la grille: 2

Préchauffer le four à 375°F (190°C).

Mélanger la farine, le son, le germe de blé, la levure chimique (poudre à pâte), le bicarbonate de soude, le sel et le sucre brun. Battre l'oeuf, ajouter les bananes en purée, le lait sur et la mélasse. Ajouter aux ingrédients secs en remuant à l'aide d'une fourchette. Ajouter les noix et les raisins secs. Garnir 2 moules de 8 muffins de tasses de papier. Diviser la pâte uniformément dans chacun des moules. Cuire à 375°F (190°C), pendant 14 à 16 minutes environ.

Donne 16 muffins.

Muffins au son et aux raisins

Ingrédients	Impérial	Canadien	Européen
Farine	1^1/$_4$ tasse	310 mL	190 g
Bicarbonate de soude	1 c. à thé	5 mL	1 c. à café
Sel	1 c. à thé	5 mL	1 c. à café
Son (céréale de)	1^2/$_3$ tasse	410 mL	80 g
Raisins secs	1 tasse	250 mL	195 g
Lait	1 tasse	250 mL	2,5 dl
Mélasse	^{1}/$_2$ tasse	125 mL	1,25 dl
Oeufs	1	1	1

Position du sélecteur:
Position de la grille: 2

Préchauffer le four à 375°F (190°C).

Tamiser la farine, le bicarbonate de soude et le sel. Mélanger les raisins au son. Ajouter au premier mélange. Mélanger le lait, la mélasse et l'oeuf battu. Ajouter en une seule fois aux ingrédients secs. Mélanger à l'aide d'une fourchette jusqu'à ce que le mélange soit homogène. Garnir 2 moules de 8 muffins de tasses de papier. Diviser la pâte uniformément dans chacun des moules. Cuire à 375°F (190°C), pendant 15 à 20 minutes environ.

Donne 16 muffins.

Chapitre XIII

Les tartes

- *Tarte aux bleuets (myrtilles)*
- *Tarte aux fraises*
- *Tarte aux pommes spéciale*
- *Tartes aux pommes traditionnelle*
- *Tarte au sucre*
- *Tarte à la noix de coco et aux cerises*
- *Tarte au chocolat*

Tarte aux bleuets (myrtilles)

Ingrédients	Impérial	Canadien	Européen
Abaisse de tarte de 9 po (23 cm), non cuite	2	2	2
Bleuets frais ou décongelés, égouttés	2$^1/_2$ à 3 tasses	625 à 750 mL	410 à 500 g frais ou 480 à 580 g surgelés
Jus de citron	1 c. à thé	5 mL	1 c. à café
Sucre	$^3/_4$ tasse	180 mL	165 g
Farine	3 c. à table	45 mL	3 c. à soupe
Cannelle moulue	1 pincée	1 pincée	1 pincée
Muscade moulue	1 pincée	1 pincée	1 pincée
Clou de girofle moulu	1 pincée	1 pincée	1 pincée
Noisettes de beurre	3 à 4	3 à 4	3 à 4

Position du sélecteur:
Position de la grille: 2

Préchauffer le four à 375°F (190°C).

Dans un bol, déposer les bleuets et arroser de jus de citron. Mélanger tous les autres ingrédients (sauf le beurre), ajouter aux bleuets et mélanger. Déposer dans une abaisse de 9 po (23 cm) farinée. Parsemer de noisettes de beurre. Couvrir avec l'autre abaisse. Cuire à 375°F (190°C), pendant 30 à 35 minutes environ.

Tarte aux fraises

Ingrédients	Impérial	Canadien	Européen
Abaisses de tarte de 9 po (23 cm), non cuites	2	2	2
Fraises fraîches ou décongelées	$2^1/_2$ à 3 tasses	625 à 750 mL	310 à 375 g, fraîches ou 470 à 560, surgelées
Sucre	$^3/_4$ tasse	180 mL	165 g
Farine	2 c. à table	30 mL	2 c. à soupe
Zeste d'orange	1 c. à thé	5 mL	1 c. à café

Position du sélecteur:
Position de la grille: 2

Préchauffer le four à 375°F (190°C).

Mélanger le sucre, la farine et le zeste d'orange. Ajouter aux fraises. Déposer dans une abaisse de 9 po (23 cm) farinée. Couvrir avec l'autre abaisse. Cuire à 375°F (190°C), pendant 30 à 35 minutes environ.

Tarte aux pommes spéciale

Ingrédients	Impérial	Canadien	Européen
Abaisse de tarte de 9 po (23 cm), cuite	1	1	1
Pommes coupées en petits morceaux	2 à 3 tasses	500 à 750 mL	300 à 450 g
Gélatine	1 sachet de $^1/_4$ oz	1 sachet de 7 g	7 g
Eau	$^1/_2$ tasse	125 mL	1,25 dl
Jus d'orange	$^1/_4$ tasse	60 mL	6 cl
Fécule de maïs	1 c. à table	15 mL	1 c. à soupe
Confiture d'abricots	$^1/_3$ tasse	80 mL	100 g
Zeste d'orange	2 c. à thé	10 mL	2 c. à café
Crème fouettée	quantité suffisante	quantité suffisante	quantité suffisante

Position du sélecteur:
Position de la grille: 1

Préchauffer le four à 400°F (200°C).

Garnir une assiette à tarte de 9 po (23 cm) de pâte. Piquer à l'aide d'une fourchette. Cuire à 400°F (200°C), pendant 10 à 12 minutes environ. Laisser reposer avant de garnir.

Cuire les pommes à feu doux avec un peu d'eau jusqu'à ce qu'elles deviennent molles. Ajouter la gélatine et l'eau. Laisser refroidir le mélange. Verser dans la croûte de tarte cuite. Faire fondre la gelée d'abricots, ajouter le jus, le zeste d'orange et la fécule de maïs. Cuire ensemble en remuant, puis verser sur les pommes lorsque le mélange sera épaissi. Garnir de crème fouettée, si désiré.

Tarte aux pommes traditionnelle

Ingrédients	Impérial	Canadien	Européen
Abaisses de tarte de 9 po (23 cm), non cuites	2	2	2
Pommes	4 tasses	1 litre	600 g
Sucre	$^{1}/_{4}$ tasse	60 mL	55 g
Sucre brun	$^{1}/_{4}$ tasse	60 mL	60 g
Noisettes de beurre	3 à 4	3 à 4	3 à 4

Position du sélecteur:
Position de la grille: 2

Préchauffer le four à 375°F (190°C).

Peler et trancher les pommes. Mélanger le sucre et le sucre brun. Ajouter aux pommes en morceaux. Déposer dans une abaisse de 9 po (23 cm) farinée. Parsemer de noisettes de beurre. Couvrir avec l'autre abaisse. Cuire à 375°F (190°C), pendant 30 à 35 minutes environ.

Tarte au sucre

Ingrédients	Impérial	Canadien	Européen
Abaisse de tarte de 9 po (23 cm), non cuite	1	1	1
Cassonade	1 tasse	250 mL	225 g
Farine	1 c. à table	15 mL	1 c. à soupe
Oeuf battu	1	1	1
Lait tiède	$^{1}/_{2}$ tasse	125 mL	1,25 dl
Beurre	1 c. à table	15 mL	1 c. à café
Vanille	$^{1}/_{2}$ c. à thé	2 mL	$^{1}/_{2}$ c. à café

Position du sélecteur:
Position de la grille: 2

Préchauffer le four à 325°F (162°C).

Chauffer le lait et le beurre pour tiédir. Retirer du feu et ajouter la vanille et l'oeuf battu. Mélanger la cassonade et la farine. Verser le premier mélange sur les ingrédients secs et bien mélanger. Verser dans une abaisse de tarte farinée de 9 po (23 cm) non cuite. Cuire à 325°F (162°C), pendant 30 à 35 minutes environ.

Tarte à la noix de coco et aux cerises

Ingrédients	Impérial	Canadien	Européen
Oeufs battus (environ 4 ou 5)	1 tasse	250 mL	2,5 dl
Farine de blé	$^1/_2$ tasse	125 mL	65 g
Sel	$^1/_4$ c. à thé	1 mL	$^1/_4$ c. à café
Noix de coco râpée	1$^1/_4$ tasse	310 mL	205 g
Lait	2 tasses	500 mL	0,5 litre
Beurre	$^1/_4$ tasse	60 mL	60 g
Sucre brun	1 tasse	250 mL	255 g
Poudre à pâte	$^1/_2$ c. à thé	2 mL	$^1/_2$ c. à café
Vanille	2 c. à thé	10 mL	2 c. à café
Crème fouettée	quantité suffisante	quantité suffisante	quantité suffisante
Cerises	quantité sufisante	quantité suffisante	quantité suffisante

Position du sélecteur: ☒
Position de la grille: 1 ou 2

Préchauffer le four à 325°F (162°C).

Déposer tous les ingrédients dans le mélangeur électrique. Bien mélanger. Beurrer un moule rond de pyrex de 10 x 2 po (25 x 5 cm). Verser le mélange. Cuire à 325°F (162°C), pendant environ 50 à 60 minutes ou jusqu'à ce que le milieu soit ferme. Garnir de crème fouettée et de cerises.

Note: Il est très important de prendre un moule d'au moins 2 po (5 cm) de profondeur pour empêcher le mélange de renverser.

Tarte au chocolat

Ingrédients	Impérial	Canadien	Européen
Abaisse de tarte 9 po (23 cm), non cuite	1	1	1
Cacao	$^1/_4$ tasse	60 mL	20 g
Fécule de maïs	3 c. à table	45 mL	3 c. à soupe
Sucre	$^1/_2$ tasse	125 mL	115 g
Lait	$1^1/_2$ tasse	375 mL	3,75 dl
Beurre	$1^1/_2$ c. à table	22 mL	$1^1/_2$ c. à soupe
Vanille	1 c. à thé	5 mL	1 c. à café
Garniture:			
Noix hachées	quantité suffisante	quantité suffisante	quantité suffisante

Position du sélecteur:
Position de la grille: 1

Préchauffer le four à 400°F (200°C).

Cuire l'abaisse de tarte à 400°F (200°C), pendant 10 à 12 minutes environ.

Mélanger le cacao, la fécule de maïs et le sucre. Verser le lait en remuant bien. Cuire à feu doux en remuant jusqu'à épaississement. Ajouter le beurre et la vanille. Laisser refroidir et verser dans l'abaisse cuite. Garnir de noix hachées glacées au miel. Réfrigérer jusqu'au moment de servir.

Chapitre XIV

Les biscuits

- *Biscuits à la marmelade*
- *Biscuits à la mélasse*
- *Biscuits à l'orange*
- *Biscuits aux grains de chocolat*
- *Biscuits aux pommes et aux noix*

Biscuits à la marmelade

Ingrédients	Impérial	Canadien	Européen
Beurre ou margarine	$^1/_4$ tasse	60 mL	60 g
Sucre	$^1/_2$ tasse	125 mL	25 g
Oeufs	1	1	1
Vanille	$^1/_2$ c. à thé	2 mL	$^1/_2$ c. à café
Marmelade orange ou pomme, etc.	$^1/_2$ tasse	125 mL	175 g
Farine	$1^1/_2$ tasse	375 mL	230 g
Bicarbonate de soude	$^1/_4$ c. à thé	1 mL	$^1/_4$ c. à café

Position du sélecteur:
Position de la grille: 3

Préchauffer le four à 375°F (190°C).
Défaire le beurre en crème, ajouter le sucre, l'oeuf, la vanille, la marmelade et la farine qui a été préalablement mélangée au bicarbonate de soude. Mélanger le tout. Déposer sur une tôle beurrée par petites cuillerées. Cuire à 375°F (190°C), pendant 12 à 14 minutes environ.

Biscuits à la mélasse

Ingrédients	Impérial	Canadien	Européen
Graisse végétale	³/₄ tasse	180 mL	130 g
Sucre brun	³/₄ tasse	180 mL	185 g
Oeuf	1	1	1
Mélasse	³/₄ tasse	180 mL	1,8 dl
Lait	³/₄ tasse	180 mL	1,8 dl
Farine	3¹/₂ tasses	875 mL	530 g
Levure chimique (poudre à pâte)	1 c. à thé	5 mL	1 c. à café
Bicarbonate de soude	1 c. à thé	5 mL	1 c. à café
Sel	1 c. à thé	5 mL	1 c. à café
Cannelle moulue	¹/₂ c. à thé	2 mL	¹/₂ c. à café
Gingembre moulu	¹/₂ c. à thé	2 mL	¹/₂ c. à café
Clou de girofle moulu	¹/₂ c. à thé	2 mL	¹/₂ c. à café

Position du sélecteur:
Position de la grille: 3

Préchauffer le four à 375°F (190°C).

Défaire la graisse végétale en crème, ajouter le sucre brun et mélanger. Ajouter l'oeuf et bien mélanger. Incorporer au lait et à la mélasse qui ont été préalablement mélangés. Tamiser la farine, la poudre à pâte, le bicarbonate de soude, le sel, la cannelle, le gingembre et le clou de girofle. Bien mélanger le tout. Façonner en boules. Écraser légèrement avec une fourchette. Déposer sur une tôle graissée et cuire à 375°F (190°C), pendant 10 à 12 minutes environ.

Biscuits à l'orange

Ingrédients	Impérial	Canadien	Européen
Oeuf	1	1	1
Sucre	1 tasse	250 mL	230 g
Beurre	$^1/_2$ tasse	125 mL	125 g
Jus d'orange	4 c. à table	60 mL	6 cl
Eau froide	2 c. à table	30 mL	2 c. à soupe
Farine	2$^1/_2$ tasses ou plus*	625 mL ou plus*	380 g ou plus*
Levure chimique (poudre à pâte)	1 c. à table	15 mL	1 c. à soupe
Sel	$^1/_4$ c. à thé	1 mL	$^1/_4$ c. à café
Blancs d'oeuf	quantité suffisante	quantité suffisante	quantité suffisante
Zeste d'orange	quantité suffisante	quantité suffisante	quantité suffisante

Position du sélecteur: ☒
Position de la grille: 3

Préchauffer le four à 375°F (190°C).

Battre l'oeuf, ajouter le sucre graduellement, puis le beurre défait en crème. Tamiser la farine, le sel et la poudre à pâte. Ajouter au mélange en alternant avec le jus d'orange et l'eau. Abaisser la pâte à $^1/_4$ po (0,6 cm) d'épaisseur; tailler à l'emporte-pièce. Badigeonner le dessus de chaque biscuit d'un peu de blanc d'oeuf et saupoudrer de zeste d'orange. Cuire à 375°F (190°C), pendant 10 à 12 minutes environ.

Donne 4 à 5 douzaines selon la grosseur de l'emporte-pièce.

---

* Il faut que la pâte se détache bien du bol pour pouvoir l'abaisser.

136

Biscuits aux grains de chocolat

Ingrédients	Impérial	Canadien	Européen
Graisse végétale	$^1/_2$ tasse	125 mL	90 g
Sucre	$^1/_2$ tasse	125 mL	115 g
Cassonade	$^1/_4$ tasse	60 mL	60 g
Oeuf battu	1	1	1
Farine	1 tasse	250 mL	150 g
Bicarbonate de soude	$^1/_2$ c. à thé	2 mL	$^1/_2$ c. à café
Sel	$^1/_4$ c. à thé	1 mL	$^1/_4$ c. à café
Grains de chocolat	$^1/_2$ à $^3/_4$ tasse	125 à 180 mL	100 à 145 g

Position du sélecteur:
Position de la grille: 3

Préchauffer le four à 375°F (190°C).

Défaire la graisse végétale en crème. Ajouter graduellement le sucre, la cassonade et l'oeuf battu. Tamiser la farine, le bicarbonate de soude et le sel. Ajouter au premier mélange et bien remuer. Incorporer les grains de chocolat. Déposer à la cuillère sur une tôle graissée. Cuire à 375°F (190°C), pendant 8 à 10 minutes environ.

Donne environ 3 douzaines.

Biscuits aux pommes et aux noix

Ingrédients	Impérial	Canadien	Européen
Graisse végétale	$^3/_4$ tasse	180 mL	130 g
Cassonade	2 tasses	500 mL	510 g
Oeufs battus	2	2	2
Farine	3 tasses	750 mL	455 g
Bicarbonate de soude	$1^1/_2$ c. à thé	7 mL	$1^1/_2$ c. à café
Sel	$^1/_2$ c. à thé	2 mL	$^1/_2$ c. à café
Cannelle moulue	$1^1/_2$ c. à thé	7 mL	$1^1/_2$ c. à café
Clou de girofle moulu	1 c. à thé	5 mL	1 c. à café
Muscade moulue	$^3/_4$ c. à thé	4 mL	$^3/_4$ c. à café
Jus de pomme ou lait	$^1/_3$ tasse	80 mL	8 cl
Noix hachées	$1^1/_4$ tasse	310 mL	205 g
Pommes non pelées, hachées finement	$1^1/_2$ tasse	375 mL	225 g

Position du sélecteur: ☒
Position de la grille: 3

Préchauffer le four à 375°F (190°C).

Défaire la graisse végétale en crème. Ajouter la cassonade et les oeufs. Tamiser les ingrédients secs. Ajouter au mélange en alternant avec les noix, les pommes et le liquide. Déposer à la cuillère sur une tôle et cuire à 375°F (190°C), pendant 10 à 12 minutes environ.

Donne 4 à 5 douzaines selon la grosseur.

Index des recettes par catégories

Index des recettes par ordre alphabétique

141

Table des matières

Achevé   Imprimerie
d'imprimer Gagné Ltée
au Canada Louiseville